À Mia, Simone, Alice Rose et Romy, mes quatre filles, que je tente de comprendre à tous les jours. Heureusement, je n'y arrive pas.

Maxime Roussy

D1248539

Le blogue de Namasté

> La naissance de
la Réglisse rouge

LES ÉDITIONS LA SEMAINE
2050, rue de Bleury, bureau 500
Montréal (Québec) H3A 2J5

Directrice des éditions : Annie Tonneau
Directrice artistique : Lyne Préfontaine
Coordonnatrice aux éditions : Françoise Bouchard

Directeur des opérations : Réal Paiement
Superviseure de la production : Lisette Brodeur
Assistante-contremaître : Joanie Pellerin
Scanneristes : Patrick Forgues et Éric Lépine

Conceptrice graphique et logo : Marianne Tremblay
Réviseure-correctrice : Rachel Fontaine
Photo de Maxime Roussy : Patrice Bériault
Photo de la couverture : iStockphoto
Photos intérieures : iStockphoto

© Charron Éditeur inc.
Dépôt légal : Deuxième trimestre 2010
Bibliothèque et Archives nationales du Québec
Bibliothèque et Archives Canada
ISBN : 978-2-923771-18-2

Maxime Roussy

Le blogue de Namasté

>La naissance de
la Réglisse rouge

ÉDITIONS
LASEMAINE

Publié le 15 octobre à 14 h 45 par Nam
Humeur : Test

> **Test**

1 – 2 – 1 – 2, est-ce que ça marche ?!?!

Si je trouve la personne,
je l'étripe !

Nam×♡×

Publié le 15 octobre à 14 h 51 par Nam

Humeur : Suspicieuse

> Ouais, ça marche !

C'est la première fois que j'écris mon journal à l'ordi, je ne sais pas si je vais aimer ça. On verra. J'ai toujours utilisé un crayon sur du papier, je trouvais ça plus romantique que des trucs froids comme un clavier et un moniteur. Mais là, je n'ai plus le choix : je pense que quelqu'un, dans la maison, lit mon journal intime. 🙁 Je me demande qui ça peut bien être. J'ai posé des questions subtiles à tous les membres de ma famille, comme si j'étais Sherlock Holmes. Genre : « C'est toi qui a touché à mon journal ? » en criant et en pleurant et en postillonnant. Ça n'a rien donné, personne ne s'est déclaré coupable. Pire, personne n'a eu l'air coupable.

Je cache mon journal dans le tiroir de ma commode, sous mes petites culottes les plus laides que je ne mets plus parce que je suis quelqu'un de fier, tsé. Même quand je n'en ai plus des propres, je ne m'abaisse pas à les enfiler. Je préfère mettre les bobettes blanches et affreuses vraiment trop grandes de mon frère, celles qu'il ne porte jamais. Mom m'a déjà dit que je devrais penser à jeter mes vieilles. J'ai refusé. Je lui ai dit que je suis attachée à elles. C'est un peu vrai. 🙂

J'écris tout ce qui m'arrive dans ce journal. J'ai commencé en cinquième année et je suis maintenant en première secondaire, ça fait donc presque trois ans. Ce que j'écris est super personnel, surtout depuis qu'il s'est passé plein de choses dans ma vie. Qui ose ?!

J'ai rangé ce matin mes petites culottes d'une autre façon. Quand je suis rentrée de l'école, après mes cours d'échecs, elles avaient été déplacées. C'est clair, on a touché à mon journal. Il y a un cadenas dessus, mais j'ai dû forcer la serrure il y a quelques jours parce que je ne me rappelais plus où était la clef. Il s'ouvre trop facilement. Genre en éternuant.

Voici mes suspects potentiels. Plus la note est haute, plus je les suspecte.

SUSPECT NO. 1 Mon père, Pop.

Même si je marchais sur les mains en chantant du Céline Dion dans la maison ou en tapant des pieds avec des souliers à claquette, il ne me demanderait pas comment je vais. Je crois qu'il n'a jamais jeté un œil sur un de mes bulletins. Mais il me dit qu'il m'aime au moins une fois par année bissextile. Et il essaie d'être drôle en faisant des blagues poches, blagues que j'ai déjà ries quand j'avais genre 8 ans. À présent, elles me tapent sur les nerfs.

Chances que ce soit le coupable : 0,5 sur 10

(Je crois d'ailleurs qu'il ne sait pas ce qu'est un journal intime. Genre il ne ferait pas de différence entre une vieille petite culotte et une neuve.)

SUSPECT NO. 2 Grand-Papi, mon grand-père.

Père de ma mère, il vit dans le sous-sol. Est-ce qu'il

sait de quelle couleur sont les murs de ma chambre ? Il est super *cool* et c'est mon confident. Je lui dis presque tout et il ne me juge jamais ; il ne me donne des conseils que lorsque je lui en demande. Quand j'ai besoin d'être raccompagnée en auto, il ne dit jamais non, ça lui fait toujours plaisir. C'est mon fournisseur officiel de réglisses rouges. J'adore la réglisse rouge ! ☺

Chances que ce soit le coupable : 0 sur 10

(Absolument impossible.)

SUSPECT NO. 3 Mon frère, Fred.

Un ortho en puissance. Il vient d'avoir 16 ans. Il cherche par tous les moyens à faire le moins d'efforts possible pour le maximum de résultats.

Il trouve toujours plein de trucs pour tricher en classe. Depuis le début de l'année scolaire, il s'est déjà fait prendre deux fois. Grand-Papi dit que le problème, ce n'est pas qu'il triche, c'est qu'il ne soit pas assez futé et se fasse attraper. Il passe son temps sur Internet à jouer à des jeux *full* violents ou à regarder des filles toutes nues.

Chances que ce soit le coupable : 1,5 sur 10

(Qu'est-ce que ça lui donnerait de lire le journal intime de sa petite sœur ? Il n'y a ni violence, ni nudité. C'est sans intérêt pour lui.)

SUSPECT NO. 4 Mom, ma mère.

Ces derniers temps, nos relations sont devenues *full* compliquées. Des fois, on se parle et ça va bien. D'autres fois, on s'engueule. Elle ne m'écoute pas quand je parle et elle dit souvent que ce que je dis est « ridicule ». Elle dit qu'elle ne me reconnaît plus. J'ai plutôt l'impression que c'est elle qui a changé. Elle veut toujours savoir où je suis, ce que je fais et avec qui. L'autre fois, je lui ai dit que je la détestais, mais ce n'est pas ce que je pensais, j'étais juste impatiente. Ce n'est pas gentil, je sais.

Chances que ce soit la coupable : 8 sur 10

(Elle est souvent à la maison pendant que je n'y suis pas. Si j'arrive à prouver que c'est elle, je ne vais jamais lui pardonner. Grrr…)

SUSPECT NO. 5 Youki, mon petit chien d'amooooooouuuurrrrrr.

Il ferait n'importe quoi pour des biscuits et c'est le plus mignon des toutous. Il jappe comme un malade quand on sonne à la porte et on ne peut comme pas l'arrêter. Il adore aussi les pommes. Il aime me lécher le visage (faut croire qu'il goûte bon). Quand il se tourne sur le dos, il faut lui gratter le ventre, sinon, il couine. Sa blonde, c'est une de mes peluches en forme de phoque. Il lui fait des fois des cochonneries, c'est dégoûtant, je lui lance un verre d'eau froide pour qu'il arrête.

Chances que ce soit lui le coupable : -13 698 sur 10

(De toute façon, il ne sait même pas lire.)

J'y pense… j'ai peut-être un plan en tête pour trouver le coupable. On s'en reparle.

Publié le **17** octobre à **17** h **22** par Nam
Humeur : Méfiante

> **Toujours pas de suspect intéressant**

Je crois que je vais m'habituer rapidement au format du blogue. Il y a plusieurs avantages. Le premier, c'est que je mets en pratique mon doigté. Je me suis beaucoup améliorée depuis un an, mais je vais devenir encore meilleure. Et il va y avoir de la fumée qui va sortir du clavier.

Aussi, personne ne va pouvoir me lire. Ce sera super super secret. Même si quelqu'un essayait d'entrer dans mon blogue, je l'ai sécurisé avec un mot de passe *full* compliqué (genre 1-2-3-4-5-6, personne ne va penser à ajouter le 6 !). Comme ça, plus personne ne va pouvoir aller fouiller dans ma vie privée et vendre le tout à un magazine à potins quand je vais être célèbre. Je me vois faisant les unes dans dix ans d'ici : « Namasté comme vous ne l'avez jamais vue : elle n'aimait pas son prof de mathématiques en secondaire 1 et lui a déjà dit qu'il était plate » ou « Namasté garde enfoui en elle un terrible secret : elle passe un temps fou à se peinturer les ongles d'orteils de différentes couleurs et elle aime ça ».

Ce serait terrible pour ma réputation. Cependant, je ne sais trop pour quoi je pourrais devenir célèbre. Je n'ai aucun talent particulier sauf celui de dire des niaiseries. Faudrait que je développe une faculté que personne n'a, une affaire qui sort vraiment de l'ordinaire. Genre, j'ai vu l'autre fois sur Internet une femme qui s'introduisait un serpent dans le nez, qui lui ressortait par la bouche. 😲 Je ne veux pas faire peur aux enfants ! Quelque chose d'un peu moins *freakant* serait de devenir la première femme au monde à devenir papesse. Ouais… Faudrait que je commence à croire en Jésus. Mais lui, est-ce qu'il croit en moi ?

En tout cas.

Un autre avantage du blogue est que si ma maison passe au feu, mes écrits ne risquent pas de partir en fumée. Ça me fait penser : Mart, ma *best,* m'a demandé tantôt les cinq choses que je sauverais si la maison prenait en feu. J'ai répondu :

1- Youki, ma boule de poils d'ammmmooooouurrrrrr
2- Mon journal intime
3- Mon lecteur MP3
4- Mon toutou souris bleue que j'ai depuis ma naissance
5- Ma taie d'oreiller (je ne savais plus trop quoi répondre)

Parlant de journal intime, j'ai remarqué que le démon qui le lit ne le fait pas tous les jours. Genre une ou deux fois par semaine. J'imagine qu'il attend d'en avoir pas mal à lire pour que ça vaille la peine. 😡 Je vais lui en mettre plein la vue. Plein de viande autour de l'os.

Je m'arrête pour souper, je vais mettre en action mon super plan génial et je reviens.

Bientôt maîtres de l'univers

Namxox

> Je veux la faire *freaker*

Le plan est en branle. Mon but est de faire capoter la personne qui me lit. À un point où il va falloir qu'elle vienne me parler parce qu'elle ne pourra pas faire autre chose que de penser à moi. Je vais même hanter ses cauchemars. Hi hi hi !

Avec Mart, pendant l'heure du dîner à l'école, on a essayé de trouver des moyens de résoudre le problème. La première solution coûtait trop cher : installer un système de caméras cachées. On est allées sur Internet à la biblio et on a trouvé des affaires *cool*. Genre des caméras installées dans des ventilateurs, des casquettes ou des réveille-matin. Mais c'est vraiment trop cher.

Après, on a pensé à insérer des capsules d'encre explosives dans mon journal. Comme ça, quand la personne qui le lit va l'ouvrir, il va y en avoir partout. Je ne sais même pas si ça existe, mais on a pensé que c'était une bonne idée. Jusqu'à ce qu'on se dise que ce serait très salissant et que ce sera moi qui devrai nettoyer après.

Finalement, on a opté pour une stratégie plus subtile. Genre on va introduire une bombe dans le cerveau de la personne et BOUM !, ça va exploser à un moment donné et c'est ainsi qu'elle va être repérée. Voici ce que je viens d'écrire dans mon journal :

« *Cher Déjà Vu* (c'est le nom que j'ai donné à mon journal ; avant, il s'appelait Ragoût de boulettes mais j'ai comme fait une indigestion la dernière fois que j'en ai mangé alors il me semblait que lorsque je l'ouvrais, il y avait une odeur écœurante qui s'en dégageait),

Je crois qu'il faut que je t'en parle parce que c'est devenu trop intense. Depuis quelques semaines, j'entends des voix dans ma tête. Elles n'arrêtent pas. Même quand je dors, elles sont présentes. Elles me réveillent. Elles disent qu'elles viennent de la planète Réglisse rouge et qu'elles veulent envahir la Terre. Elles ont besoin de mon aide. Il faut que j'en mange le plus possible, comme ça, je vais devenir moi-même une réglisse rouge et je vais être genre leur porte-parole. »

Je pense que c'est assez inquiétant pour que la méchante personne réagisse et vienne m'en parler. On verra.

Fred me *gosse* pour avoir l'ordi.

Bye.

Publié le 19 octobre à 17 h 39 par Nam
Humeur : Choquée

> **Les gars de ma classe**

Les gars de ma classe sont tellement cons! Je n'en reviens juste pas. Ma prof de sixième nous avait dit que les filles avaient quatre ans de plus de maturité que les garçons. Elle a tellement raison.

En éduc, après le cours, on était en train de se rhabiller dans le vestiaire. Et là, il y a le petit Gabriel (que tout le monde appelle Minus, ça ne le dérange pas) qui a surgi en petite culotte. En courant et en chantant je ne sais trop quelle chanson, il est entré par une porte et est sorti par l'autre. C'est quoi le rapport?! On était toutes en sous-vêtements. Il s'est ramassé chez le directeur. Les autres gars de la classe ont dit qu'il a fait ça parce qu'il avait perdu un pari.

Et là, tous les gars ont commencé à écœurer Mélane, une fille de ma classe. Ils ont ri d'elle parce que Minus leur a raconté qu'il l'avait vue mettre des kleenex dans son soutien-gorge. Ce n'est même pas vrai! Ils ont réussi à la faire pleurer et elle est partie chez elle avant la fin de la dernière période.

Mélane, elle est super fine. Pourquoi ils lui ont fait ça? Mart est allé voir Minus et elle lui a dit qu'il était vraiment niaiseux. Lui, il trouve ça drôle. Y'avait pas de raisons de dire ça. C'est de la pure méchanceté.

Mais le pire dans la gang, c'est Sébastien. Je pense qu'il a genre 15 ans et il est encore en secondaire 1. Il dit tout le temps des conneries dans la classe et il fume (pas dans la classe, quand même!). Le directeur vient le chercher au moins une fois par semaine. Il se fout complètement de l'école, il dit qu'il a juste hâte d'avoir 16 ans pour s'en aller. Les professeurs sont tannés et nous aussi. Y'a juste deux ou trois de ses amis qui rient vraiment de ses commentaires poches (souvent vulgaires). Les autres suivent comme des moutons.

J'espère que Mélane va être à l'école demain. Elle n'est pas sur Messager. Habituellement, elle est en ligne. Je lui ai envoyé un courriel pour l'encourager. C'est une fille super fragile, surtout qu'elle est encore toute petite. Les gars l'écœurent parce qu'elle n'a pas encore de seins. Dès qu'ils lui en parlent, ça la déprime. Ils ne perdent rien pour attendre, les gars! Je ne les laisserai plus faire.

Toujours rien du côté de mon journal intime. Voici ce que j'ai rajouté aujourd'hui :

« Cher Déjà Vu,

Les Réglisses rouges se font de plus en plus insistantes. Elles veulent même que je commence à faire du recrutement. J'en ai parlé à ma best, mais elle trouve que je suis bizarre. On m'a dit que demain, j'allais recevoir un nouveau message de la planète Réglisse rouge. Entre-temps, je continue à manger de la réglisse. J'ai mal au cœur. »

C'est top débile, non? Bof, je n'ai rien à perdre.

Oh! Mélane vient de se brancher! Faut que je lui parle pour lui demander comment elle va. À plus!

Quelques-uns des gars de ma classe

Nam x♡x

Publié le 19 octobre à 19 h 58 par Nam
Humeur : Maussade

> Mélane ne va pas bien

J'ai envoyé des messages à Mélane. Elle était en ligne, mais ne me répondait pas. Puis elle s'est débranchée. Ça m'a inquiétée, ce n'est pas son genre. J'ai décidé de l'appeler. C'est sa mère qui a répondu et elle m'a dit qu'elle ne voulait parler à personne.

Quand Mélane était en ligne, Mart a réussi à lui parler. Elle est super déprimée, elle pense qu'elle n'aura jamais de seins. Mart lui a dit que pour certaines filles, c'est plus tard. Elle est super belle, Mélane. Elle est juste encore petite.

Mélane ne veut pas aller à l'école demain. Je la comprends, moi non plus je ne voudrais pas y remettre les pieds pendant un bon bout de temps. Au début de l'année, elle s'était aussi fait niaiser à cause de sa poitrine. Le nono de Sébastien avait fouillé dans la boîte des objets perdus et trouvé un soutien-gorge. En entrant dans la classe de français, il l'a montré à tout le monde et il a demandé si ça appartenait à quelqu'un. Un gars, je ne sais plus lequel, a dit que ce n'était sûrement pas à Mélane. Elle a entendu parce qu'elle était assise à ses côtés. Elle a fait comme si ça ne l'avait pas touchée, mais dans le fond, elle a été super blessée.

Quand un gars m'écœure parce que je porte des lunettes, je ne me laisse pas faire. Au début, Sébastien

21

a essayé de m'appeler « Barniques », mais je ne l'ai pas laissé faire. Je l'ai regardé droit dans les yeux et je lui ai dit que je ne tolérais pas ça. Il s'est mis à rire, mais il n'a jamais recommencé. J'ai dit à Mélane d'essayer ma méthode, mais ça n'a pas fonctionné. Ils ne la prennent pas au sérieux.

Il y a sûrement un moyen pour faire taire ces crétins, non ? Ils ne se rendent même pas compte qu'ils blessent les gens ! Ça les fait plutôt rire. Tsé, ils vivent sur quelle planète ?!

Je crois de plus en plus que c'est Mom qui lit mon journal intime. Du jour au lendemain, je m'en suis rendu compte, elle a cessé de me poser des questions sur ma vie. Avant, elle voulait tout savoir. Elle était indiscrète. Et quand je disais que je ne voulais pas lui répondre, ça la rendait *frue*. Elle prétendait que c'était parce que j'avais des choses à cacher. Et là, du jour au lendemain, plus rien. C'est arrivé en même temps que j'ai découvert que quelqu'un lisait mon journal. C'est suspect. J'en ai parlé à Mart, je lui ai demandé ce qu'elle ferait si elle apprenait que sa mère lit son journal intime. Elle m'a dit qu'elle la tuerait. C'est une manière de parler, évidemment. Moi, qu'est-ce que je vais faire si je surprends ma mère à le lire ? Je vais péter les plombs, c'est sûr. Je vais être tellement fâchée.

Je suis en train de lire un livre super *cool*, ça s'appelle *Des souris et des hommes*. C'est l'histoire d'un gros gars qui garde une souris dans sa poche et qui la flatte. Je ne suis pas rendue *full* loin, mais j'ai hâte de lire la suite !

Ne jamais oublier
que le cheval
est maintenant mon
animal préféré

Nam X♡x

Publié le 20 octobre à 16 h 03 par Nam
Humeur : Joyeuse

> Échecs et maths

J'ai résisté longtemps, mais je ne peux plus nier l'évidence. Je suis en AMOUR !!!!!!!!!!

Il s'appelle Antoine. Après l'école, les lundis et les mercredis, des élèves bénévoles offrent du soutien en mathématiques dans le local qu'on appelle « Au support ». Je suis une élève bénévole, comme lui. Pendant qu'il n'y avait personne la semaine dernière, on a commencé à jaser. C'est un gars super drôle et en plus… Il est tellement beau ! Je CA-PO-TE.

Je l'ai montré à Mart à la caf, elle le trouve beau, mais pas tant que ça. Moi, il me chavire complètement. Quand je pense à lui, j'ai des palpitations. Je n'ai jamais connu ça.

Il y a un problème : il est en secondaire 4. Moi, en 1. Ouch. Mais bon. Je peux passer pour une fille de secondaire 3 facilement si j'arrête de dormir avec ma souris bleue.

Je l'ai croisé à la biblio tantôt. Je l'ai salué et il m'a demandé si je faisais quelque chose pendant le dîner de demain. J'ai dit non, il m'a demandé si je voulais jouer avec lui aux échecs parce que son partenaire est malade. J'ai comme hésité, pas parce que je ne voulais pas, mais parce que j'étais surprise. Mart a répondu

« oui » pour moi. Antoine m'a regardée et m'a demandé si je savais jouer aux échecs. Mart a aussi dit oui. Une chance qu'elle était là, sinon je serais encore dans la biblio, immobile comme une statue.

Sauf que là, j'ai un GROS problème : je ne sais pas jouer aux échecs ! (••) Je suis des cours mais je n'en suis qu'au début.

Après l'école, Mart et moi sommes allées à la bibliothèque municipale et on a emprunté des livres sur les échecs. Je me suis couchée super tard hier soir parce que je ne voulais pas avoir l'air d'une nouille devant Antoine. La seule affaire dont je me rappelais en me réveillant est que le cavalier se déplace en L. Il a fallu que dans l'autobus, je me rafraîchisse la mémoire. J'ai failli le manquer parce que j'ai trop pris de temps à m'habiller. Tout ce que je mettais semblait laid. Finalement, j'ai opté pour ma jupe avec mes collants noirs et un chemisier (que j'ai évidemment sali pendant que je buvais mon jus d'orange dans l'autobus, arghh !).

Durant les cours de l'avant-midi, je me suis cachée derrière les pupitres et j'ai feuilleté les livres sur les échecs. Sauf que je n'avais pas de jeu devant moi. C'était très théorique. J'avais peur de me tromper de pièces quand j'allais en avoir des vraies. La dernière chose que je voulais c'était d'avoir l'air nunuche devant lui.

Les trois cours avant le dîner ont été interminables. Enfin, la cloche a sonné. Je n'ai pas pris le temps de manger parce que j'étais trop nerveuse. Comme avant un exposé oral.

Mart voulait venir avec moi, mais j'ai dit non. Elle était aussi excitée que moi. Un super beau gars de secondaire 4 qui m'invite à jouer aux échecs! Wow!

Quand j'ai mis les pieds dans le local, je me suis vite rendu compte qu'il n'y avait que des gars. Genre une vingtaine. Ils m'ont tous regardée comme si je venais d'entrer dans un lieu sacré. Quoi? Les filles n'ont pas le droit de jouer aux échecs?

J'ai reconnu deux gars qui sont dans ma classe. J'étais contente, c'est sûr qu'ils vont raconter à TOUT LE MONDE que je joue avec un gars de secondaire 4.

J'ai fait le tour du local, pas de trace d'Antoine. Je me suis assise et j'ai attendu.

Sur un carton fixé au tableau, il y avait le nom de tous les joueurs et leur classement. Sur 22, Antoine était… PREMIER! Pas grave, j'étais prête à être humiliée.

Je commençais à désespérer quand il est enfin apparu, un jeu d'échecs sous le bras. Il s'est excusé, m'a embrassée sur la joue droite (whoâââ!) et on a commencé à jouer.

Au début du match, il m'a demandé si j'avais peur de jouer avec un bon joueur. Je lui ai dit que j'étais sûrement meilleure que lui parce que je jouais depuis que j'ai genre 5 ans (MENTEUSE!).

Résultat: j'ai gagné la partie! Je n'ai pourtant jamais joué une partie en entier. Mart, qui est venue subtilement m'espionner 54 fois, m'a dit que c'était la chance de la débutante. Pas grave, j'ai *full* impressionné Antoine. À un point tel qu'il m'a donné une pièce de son jeu et m'a dit qu'il n'allait jouer qu'avec moi tant et aussi long-temps qu'il n'allait pas réussir à me battre.

La pièce, c'est un cavalier. Je lui ai dit que le che-val était mon animal préféré (DOUBLE MENTEUSE, j'ai déjà voulu un poney, mais quand j'ai su la quantité de caca que ça produisait dans une journée, j'ai déchanté). La pièce est devant moi, sur le dessus du moniteur. Je n'arrête pas de la regarder. Je l'ai tenue dans la paume de ma main genre pendant quatre heures de suite. Heu-reusement qu'elle est en métal, sinon j'aurais fait fondre la pièce ! Je vais dormir avec, c'est sûr !

Je dois aller souper.

(Je suis assez fière du jeu de mots dans le titre.)

Publié le **22** octobre à **15** h **59** par Nam
Humeur : Sur un nuage

> C'est tellement bon

Hier soir, j'ai passé la soirée à *tchatter* (je sais que c'est clavarder le vrai nom, mais je trouve ça laid) avec Antoine. Au début, je voulais écrire mon blogue, mais j'ai remarqué qu'un inconnu sur Messager m'avait ajoutée à sa liste d'amis. Habituellement, je n'accepte pas les inconnus, mais quand j'ai vu que c'était Antoine, j'ai appuyé sur le bouton genre vingt fois de suite. Dès que je suis apparue en ligne, il m'a abordée !

J'ai parlé avec lui vraiment longtemps. Fred voulait avoir l'ordi, mais j'ai insisté pour le garder. En échange, il a fallu que je lui promette mon dessert des cinq prochains soirs. Ça a valu la peine.

Alors on a parlé de quoi ? De plein de trucs. De l'école, de nos parents (les siens sont super sévères), un peu des maths, des échecs (il veut trouver un logiciel pour jouer en ligne avec moi !) et d'autres choses dont je ne me rappelle plus. En même temps, je *tchattais* avec Mart. Elle me donnait des trucs, genre quoi écrire et, surtout, quoi ne pas écrire. Il fait beaucoup de fautes, mais ce n'est pas si grave. Il dit qu'il est bon en maths, mais poche en français. Je lui ai promis de l'aider parce que je suis pas pire.

Je cherchais à savoir s'il avait une blonde ou non. La cousine de ma *best* est en secondaire 4 et son amie est amie avec Antoine. Elle dit qu'il n'a pas de blonde. Ouais !

Il est super charmant. Il m'a même dit qu'il me trouvait belle et mature pour une fille de secondaire 1. Mart a dit que c'était bon signe, mais je ne veux pas trop me faire d'illusions.

Je lui ai demandé où il avait trouvé mon adresse courriel, il n'a pas voulu me le dire. Il dit que c'est un de ses espions.

C'est tellement fou. Je n'arrête pas de penser à lui. Je ne suis même pas capable de me concentrer. L'année dernière, Mart est tombée amoureuse d'un gars de son camp de musique et je trouvais qu'elle exagérait. Elle avait écrit son prénom sur ses chaussures et elle n'arrêtait pas de parler de lui. Elle me tapait un peu sur les nerfs, même si je ne lui ai jamais dit. Je la comprends, maintenant !

C'est vraiment la première fois de ma vie que je me sens comme ça. C'est trop *cool.* Antoine m'a demandé si je voudrais jouer aux échecs avec lui demain pendant l'heure du dîner, genre à la caf. J'ai dit oui ! J'ai hâte ! En plus, tout le monde va nous voir ensemble. Les deux gars de ma classe qui m'ont vue jouer avec lui l'ont dit aux autres. Y'a même Iza qui ne me parle jamais ou presque qui m'a demandé si je sortais avec lui. ☺

Mon journal intime a été lu. Je le sais parce que mes petites culottes laides ont été déplacées. J'ai écrit que j'allais partir une secte, celle des Réglisses rouges, et que comme ça, j'allais devenir la première papesse de l'univers. Si ma mère ne réagit pas à ça, elle a un problème.

À l'école, Mélane est revenue aujourd'hui. Elle est comme du cristal, super cassable. Sébastien n'a rien dit. Une chance parce que sinon, je me serais fâchée. Elle est allée voir la psy de l'école qui est présente une demi-journée par deux semaines. Elle n'a pas voulu en dire plus, mais je crois qu'elle a des idées noires. Je lui ai dit que si elle voulait en parler, je serais là pour l'écouter. Notre prof-conseil, monsieur Gilbert, a parlé aux gars de la classe. Il a prononcé le mot « harcèlement ». Les gars se sont tenus tranquilles. Mais ce n'est pas la première fois. J'espère qu'ils vont comprendre.

Je vais aller faire mes devoirs.

Publié le 22 octobre à 20 h 21 par Nam
Humeur : Amoureuse (oui, oui !)

> Les gars, *part II*

Je crois que j'ai écrit que c'était la première fois que je suis amoureuse. C'est pas vraiment vrai. Je ne l'ai jamais dit à personne (pas même à Mart, c'est facile de comprendre pourquoi), mais son père m'a déjà fait triper. 😮 J'ai tellement honte d'écrire ça ! C'était l'année dernière. Je sais qu'il est super vieux, il a même du blanc dans sa barbe, mais c'était plus fort que moi, quand je le voyais, mon cœur s'arrêtait de battre pendant une demie seconde. Mart m'a dit qu'elle, c'était un des cuisiniers de la cafétéria qu'elle trouvait de son goût. Genre il a 125 ans, mais c'est vrai qu'il est assez beau. Tsé, je ne peux pas dire à Mart : « Ton père m'a déjà fait vivre des émotions fortes. » Trop bizarre.

C'était rendu que j'allais chez elle juste pour le voir. Quand il n'était pas là, j'avais juste le goût de retourner à la maison. On a passé l'été dernier à se baigner. Il fallait que je me force pour ne pas le fixer en maillot de bain. Heureusement, personne ne s'est rendu compte de rien.

Je me suis posé des questions. Au début. Après, j'ai laissé aller. Personne ne le savait, c'était un secret entre moi et moi, il n'y avait pas de problème.

Chaque fois que je commence à m'intéresser à un gars de ma classe qui est beau, il fait une connerie. Zac, par exemple. Il a des super beaux yeux et il est gentil. Au début de l'année, on passait un peu de temps ensemble. Genre dans la cour, on marchait et on parlait. Puis il a mis sur la chaise de Mélane un ballon qui imite le bruit de pets. Elle s'est assise dessus devant tout le monde durant le cours de géographie et là, je l'ai trouvé con. Il savait qu'elle était fragile, pourtant. Ça m'a fait de la peine parce que je crois que j'aurais pu sortir avec Zac.

Avec Antoine, c'est *full* différent. Il peut parler de plein de trucs sans dire des niaiseries. Il est respectueux. Je n'arrête pas de penser à lui. Il n'est pas en ligne, présentement. Habituellement, il l'est. Je me demande ce qu'il fait. Peut-être qu'il m'a bloquée parce qu'il me trouve achalante? J'espère que non. ☺

Il y a un des amis de mon frère que j'ai toujours trouvé beau. Il s'appelle Martin, mais tout le monde l'appelle Tintin. Il est souvent ici. Il passe son temps à jouer à des jeux vidéo. Quand c'est rendu que t'es capable de passer au travers du niveau difficile de *Guitar Hero* les yeux fermés, c'est que t'as pas de vie.

Je ne sais pas pourquoi il m'attire. Peut-être parce qu'il est étrange? Peut-être parce que j'ai déjà vu ses fesses (trop long à raconter)? Parce qu'il aime parler une langue extraterrestre en public pour voir comment les gens vont réagir? Je ne sais pas.

Pourquoi Antoine ne se branche pas??!! Je sais que je n'ai rien à lui dire, je veux juste qu'il soit là!

Pendant le souper, j'ai regardé Mom pour voir si

elle ne me trouvait pas bizarre avec ces histoires de réglisses rouges qui veulent anéantir l'humanité. Elle n'a rien laissé paraître. C'est une bonne actrice. Je l'attends dans le détour.

Dodo *time*.

C'est assez !

34

Publié le 26 octobre à 16 h 18 par Nam
Humeur : Le couteau entre les dents (c'est une
humeur, ça?)

> À l'attaque!

C'est assez! Là, Sébastien a dépassé les bornes. Aujourd'hui, il s'est encore attaqué à Mélane. Il a été super méchant. Il a dessiné des seins sur son casier. Et les autres gars ont trouvé ça super drôle, sauf Zac. Quand il leur a dit qu'ils étaient cons, les autres lui ont dit d'arrêter de capoter, que ce n'était qu'une blague.

Sébastien est allé chez le directeur. Au début, il disait que ce n'était pas lui qui avait fait les dessins. Il ne s'assume même pas! Mais Zac a levé la main et il l'a dénoncé devant tout le monde. Il est vraiment courageux!

Tous les gars veulent être amis avec Sébastien, même si c'est un méga super supra ortho. Il est pas mal plus grand que nous tous. Il a genre deux têtes de plus que moi. C'est peut-être pour ça que les gars l'admirent? Il intimide tout le monde. Est-ce une raison pour agir comme un imbécile? Non. S'il est mal dans sa peau, il n'a pas à faire payer les autres.

Mélane est souvent seule. Elle n'a pas de *best* et en éducation physique, quand il faut se mettre à deux, elle se ramasse toujours seule. Je ne l'ai jamais entendue dire des méchancetés. Elle ne dérange personne, pourquoi est-elle la cible de Sébastien?

Mart et moi, on a dit à Mélane qu'il fallait qu'elle aille voir le directeur pour se plaindre. Elle dit qu'elle va le faire, mais je crois qu'elle a peur.

Mart et moi, on a créé le club des Réglisses rouges (sans blague !). Tous ceux et celles qui ont des comportements stupides comme Sébastien et ses *chums* sont des Réglisses noires. S'ils changent, ils pourront faire partie de notre club. Sinon, ils sont nos ennemis. Il faut agir. Déjà, beaucoup de filles de la classe ont accepté d'en faire partie. Les gars trouvent notre idée conne.

J'ai toujours le cavalier avec moi ! J'ai joué aux échecs deux fois avec Antoine. Une fois, on a annulé. L'autre fois, on n'a pas eu le temps de terminer le match. Lorsqu'il va gagner, comment vais-je faire pour lui rendre sa pièce ? Je me sens mal quand je ne l'ai pas sur moi. Ce cavalier me rappelle Antoine et ça me fait du bien. Et plus je le connais, plus je l'aime. On passe beaucoup de temps à *tchatter*. On a toujours quelque chose à se dire. Il me taquine souvent au sujet de mon âge et je fais semblant que ça m'insulte.

Mart m'a dit que je devrais passer à l'attaque, genre lui demander s'il voudrait sortir avec moi. C'est comme trop tôt. Et s'il me dit non, je vais avoir la honte de ma vie. ☹

C'est tendu à la maison ces jours-ci. Je ne sais pas ce qui se passe, mais Mom et Pop se disputent souvent. Fred est *fru* parce qu'ils refusent de lui acheter un nouvel ordinateur. Une chance, parce que s'il en avait un, il ne mangerait plus, n'irait plus à la salle de bains et ne se laverait plus. Mais ça, ça ne changerait rien. ☺

Antoine est en ligne et il ne me parle pas. Pourquoi ?!

C'est au tour de Fred d'avoir l'ordi.

Zac est officiellement une Réglisse rouge !

Nam x♡x

Publié le 26 octobre à 20 h par Nam
Humeur : Déconcertée

> Il n'a pas fait ça!?

Je viens de parler avec Mart. Nadia, une fille de notre classe, lui a appris qu'après l'école, Sébastien s'était battu avec Zac ! Sébastien s'est fait suspendre de l'école pour trois jours. Mais au lieu de partir tout de suite, il a attendu la fin des cours et il a voulu se venger parce que Zac l'a dénoncé. Je suis toute à l'envers. Nadia n'a pas vu la bataille, quelqu'un la lui a racontée. :

Y'a plein de rumeurs qui circulent. Paraît qu'il y avait la police et une ambulance sur les lieux. Paraît que Zac a subi une raclée. Ça m'inquiète vraiment !

J'ai essayé d'appeler chez Zac pour savoir comment il allait, mais il n'y a pas de réponse et c'est le répondeur qui embarque. J'ai laissé un message. C'est encore plus inquiétant !

Je ne sais rien d'autre. J'espère qu'il ne s'est pas fait sérieusement tabasser. Tsé, Sébastien est deux fois plus grand que Zac. Dès le départ, c'était injuste. Et en plus, Sébastien fait de la muscu. Il n'arrête pas de montrer ses muscles.

Je sais que Zac est un sportif. C'est un super bon joueur de hockey et il fait du karaté. Mais il lui en faudrait plus que ça pour attaquer. Zac, c'est un pacifiste. Je suis dans la même classe que lui depuis la troisième année du primaire. Il ne s'est jamais battu, il n'a jamais été agressif. Il fait toujours des blagues. Il a changé quand on est arrivés au secondaire, mais avec la dénonciation qu'il a faite, c'est le Zac que je connais que j'ai retrouvé.

Le téléphone sonne !

(…)

C'était Zac ! Il va bien ! 😃

Il m'a tout raconté en détail. Les rumeurs étaient presque toutes fausses. Il ne s'est pas fait planter, bien au contraire.

Après l'école, des amis lui ont dit qu'ils avaient vu Sébastien rôder autour de la cour d'école et qu'il était là parce qu'il voulait régler ses comptes avec le *stooleur*. Zac est allé voir l'enseignant qui surveillait, mais ils n'ont pas trouvé Sébastien. Alors que Zac se dirigeait vers l'arrêt d'autobus, Sébastien est apparu. Et là, il a commencé à le pousser et à lui dire des bêtises. Zac lui a dit qu'il ne voulait pas se battre, mais Sébastien s'en foutait. Il a donné un coup de poing dans le ventre de Zac, qui a manqué de souffle. Le surveillant est arrivé et il a poussé Sébastien plus loin. Mais Sébastien a réussi à le contourner et il a attaqué Zac de nouveau. Cette fois, Zac a donné un coup qui a fait tomber Sébastien ! Sa tête a frappé le béton, paraît même qu'il saignait ! 😲

La mère de Zac est venue le chercher à l'école. Il va bien. Quand il a reçu le coup, il a manqué de souffle, mais c'est tout. Et Sébastien est parti en ambulance !

Zac ne va pas être suspendu pour s'être battu parce qu'il ne faisait que se défendre. Le surveillant a tout vu.

Quant à Sébastien, c'est une autre histoire. J'espère qu'il va être expulsé et qu'on ne le reverra jamais.

Zac était content que j'appelle chez lui pour avoir de ses nouvelles. Je lui ai dit qu'il faisait maintenant partie des Réglisses rouges, mais il n'a rien compris! Hi! hi!

Je suis tellement soulagée!

Je vais aller écrire des niaiseries dans mon journal intime pour me changer les idées.

Publié le **27** octobre à **16** h **28** par Nam
Humeur : Désarçonnée

> ### > La révélation de Mart

Ce matin dans l'autobus, Mart m'a confié un secret qui m'a troublée. On parlait de toute cette histoire de bagarre. On connaît Zac depuis des années, mais genre l'année dernière, Mart avait commencé à ne pas l'aimer. Je ne savais pas pourquoi. Pourtant, il ne lui avait rien fait. Je lui ai posé la question et elle a rougi.

Quand ma *best* rougit, c'est signe qu'il y a quelque chose qui ne va pas. J'ai insisté et là, elle m'a annoncé que l'année dernière, elle était sortie avec lui !!! Je n'étais même pas au courant ! Tsé, je suis sa *best* et elle ne me l'a même pas dit !!! 😳 Et en plus, j'étais dans leur classe et je ne me suis rendu compte de rien.

Ça n'a pas duré longtemps, genre deux jours, mais c'est pas grave. J'aurais aimé ça qu'elle m'en parle.

Elle m'a dit qu'elle ne voulait pas m'en parler pour ne pas me faire de peine. Pourquoi j'aurais eu de la peine ? C'est ridicule.

Quand Zac est entré dans l'autobus, tout le monde l'a applaudi, même le chauffeur, qui a assisté à l'agression.

Parlant du chauffeur, il est vraiment *biz*. Genre quand les gars sont trop tannants, il arrête l'autobus, se lève et retire son dentier de sa bouche. Dégueu ! Après, il dit que si les gars n'arrêtent pas, il va les forcer à porter ses fausses dents. Une chance que je ne suis jamais seule avec lui!

Donc Zac est entré dans l'autobus, il y a eu les applaudissements et là, Mart s'est précipitée dessus. Elle est allée s'asseoir avec lui et n'a pas arrêté de lui parler. Elle m'a laissée seule. Tout d'un coup, c'était comme si je n'existais plus.

Zac a toujours été mon ami. Pas celui de Mart. C'était à moi d'aller le voir, pas à elle. C'est moi qui l'ai appelé hier pour lui demander comment il allait.

Toute la journée, Mart a collé Zac. Pourquoi?! Elle est dure à suivre.

Les gars se sont tenus tranquilles aujourd'hui. Le directeur est venu dans notre classe de maths et il nous a parlé de harcèlement et de violence. Genre que c'était interdit et que si on voulait se battre, on n'avait qu'à aller au zoo et demander de se faire mettre en cage.

Le club des Réglisses rouges s'est agrandi. Y'a genre cinq filles qui sont venues m'en parler. Pendant l'heure du dîner, que Mart a passée avec Zac 😠, j'ai écrit les règles.

J'ai fait lire les règlements à Mart et elle les a trouvés *cool*.

Antoine n'était pas à l'école aujourd'hui. Je crois qu'il est malade, ça m'inquiète. Je vais lui envoyer un courriel.

Règles des Réglisses rouges

Si vous n'êtes pas une Réglisse rouge,
c'est que vous êtes une Réglisse noire.

o

Les Réglisses rouges doivent être
respectueuses avec tout le monde
en tout temps (avec les parents, il peut y
avoir des exceptions).

o

Les Réglisses rouges ne doivent en
aucun cas utiliser la violence
pour arriver à leurs fins.

o

Une Réglisse noire peut devenir une Réglisse
rouge si elle fait la preuve qu'elle est
capable de respecter ces règlements.

o

Une Réglisse rouge parle de ses malaises
aux autres, elle ne les accumule pas.

o

En tout temps, une Réglisse rouge
doit être solidaire. Même si elle voit une
Réglisse noire dans le trouble, elle doit
aussi lui venir en aide.

o

Une Réglisse rouge ne peut pas sortir avec
une Réglisse noire. Sinon, la Réglisse rouge
change automatiquement de couleur. Il
s'agit d'un acte de haute trahison.

Publié le 27 octobre à 20 h 02 par Nam
Humeur : Décontenancée

> La révélation de Mart, *Part II*

Wô ! Weird ! Tintin, l'ami de mon frère, vient de passer devant la pièce où je suis. Il a les sourcils rasés. Ça lui donne un drôle d'air. Genre qu'il aurait été mis en contact avec une substance radioactive. Ou qu'il aurait posé sa langue sur un truc tellement malsain comme une pile neuf volts et que ses sourcils en seraient tombés.

Je crois que je suis jalouse. C'est con, je sais. Mais ça me dérange que Mart soit soudainement si proche de Zac. C'était moi avant qui était souvent avec lui. D'accord, j'ai décidé de m'éloigner parce qu'il agissait comme un ortho, mais ce n'est pas parce qu'il a réussi à mettre Sébastien KO que je vais devenir folle de lui. J'ai toujours trouvé Zac de mon goût. C'est vrai que si Mart m'avait dit l'année dernière qu'elle sortait avec lui, ça m'aurait fait de la peine. Parce que j'ai déjà dit à Mart que je trouvais Zac beau. Est-ce qu'elle fait exprès de l'aimer pour me faire du mal ? Non, sûrement pas. On ne peut pas faire semblant d'aimer.

C'est niaiseux parce que je suis amoureuse d'Antoine. Pourquoi je réagis comme ça ? Est-ce qu'on peut aimer deux gars à la fois ?!

Antoine ne m'a pas réécrit et ça m'inquiète un peu. Genre peut-être que je ne suis plus intéressante pour lui ? Il n'arrête pas de me répéter que je suis jeune parce que je suis en secondaire 1. Ce n'est peut-être pas juste des taquineries. Peut-être qu'il est sérieux.

Je continue à écrire dans mon journal intime que je suis obsédée par les Réglisses rouges. J'ai même dit à Mom qu'avec Mart, j'avais fondé un club. Elle a dit « intéressant » et c'est tout. Elle fait comme si de rien n'était. Pourtant, je suis sûre que c'est elle qui me lit. Sinon, qui ça pourrait être ?!

J'aurais le goût de lui parler de ce que je vis avec Antoine, mais j'hésite. Si c'est elle qui lit mon journal intime, je ne pourrai plus jamais lui faire confiance. C'est elle qui me l'a offert en plus. Y'a aussi le fait que ce n'est pas un gars de mon âge. Si elle ne veut pas que je sorte avec lui, je fais quoi ?!

(…)

Je viens de recevoir un courriel d'Antoine ! Il dit que demain, à l'école, il va me parler de « quelque chose ». Mais il ne m'a pas dit de quoi il s'agit, c'est cruel ! S'il était en ligne, je pourrais lui demander, mais il n'est pas là. Comment je vais faire pour dormir ? Trop méchant !

> Morveux

Grosse journée ! Je suis morte, mais en même temps, j'ai le goût d'écrire. Pas grave si je suis fatiguée demain. Depuis que j'ai commencé ce blogue, je me rends compte que j'arrive à mieux dormir la nuit. Genre avant de m'endormir, je ne pense plus à la journée qui vient de s'écouler. C'est comme si j'avais l'âme en paix. Écrire, c'est vraiment libérateur. C'est magique !

Tout le monde est couché à cette heure. Quand je suis rentrée, Fred était à l'ordi. Il a tout de suite fermé les fenêtres qui étaient ouvertes et il a nettoyé l'historique du navigateur. Pfff... Comme si je ne savais pas ce qu'il faisait ! Il s'est levé et est passé directement dans sa chambre, comme s'il venait de faire quelque chose de mal.

Mart est devenue fatigante avec Zac. Elle n'arrête pas de me parler de lui. Pas besoin, je le connais plus qu'elle ! Paraît qu'hier soir, ils ont parlé deux heures au téléphone et après, ils ont poursuivi la conversation sur Messager jusqu'à minuit. Ils se sont dit quoi ?! Mart n'est pas entrée dans les détails et bien franchement, je ne voulais pas les avoir.

Je ne veux pas qu'ils sortent ensemble ! Ce serait trop bizarre. Je m'en veux d'avoir ces sentiments-là. Je suis supposée être une Réglisse rouge, vouloir et faire le bien autour de moi. Mais c'est quelque chose que je ne peux pas contrôler.

Zac est devenu une espèce de vedette à l'école. Tout d'un coup, tout le monde veut être son ami, même des gars de secondaire 3. Pendant le dîner, à la caf, il n'a pas eu un moment à lui. Et quand Mart s'est approchée avec son plateau, il lui a fait une place pour qu'elle s'assoie à ses côtés. Est-ce qu'il aurait fait la même chose avec moi ? Sûrement pas. 😔

Des filles d'autres classes sont venues me voir. Elles aussi veulent faire partie des Réglisses rouges ! Elles aussi ont des problèmes avec les gars de leur classe. Eux s'en prennent à une fille qui est plus grosse que les autres. Genre, l'autre fois, quand elle s'est assise, tous les gars de la classe ont fait semblant que ça faisait comme un tremblement de terre et ils se sont jetés sur le sol. C'est vraiment chien ! Elles veulent aider la fille, mais elles ne savent pas trop quoi faire. Il y a deux ou trois profs qui ont parlé aux gars de leur attitude, mais rien n'a changé.

Avec tout ça, je n'ai même pas croisé Antoine. Je ne sais toujours pas ce qu'il me veut. Et s'il me demandait de sortir avec lui ? Je dis oui ou je dis non ? Je dis oui ! Hi ! hi !

En arrivant cet après-midi à la maison, j'ai vu Tintin étendu sur le canapé, une débarbouillette blanche sur le front. J'ai pas osé lui parler parce que je croyais qu'il dormait, ou pire, qu'il était mort. Je ne voulais pas avoir l'air ridicule. J'ai demandé à Mom ce qu'il faisait là et elle m'a dit que Tintin était « infecté ». Par quoi, elle ne le sait pas. Il joue à des jeux de rôle avec mon frère et des fois, il prend ça un peu trop au sérieux. Il n'est même pas allé à l'école à cause de ça. Finalement, c'est un peu comme mon demi-frère. Il est toujours à la maison, ou presque. Je ne sais même pas où il habite ou s'il a des frères et des sœurs.

J'étais en train de manger une collation quand le téléphone a sonné. C'était madame Pincourt, elle avait besoin d'une gardienne de toute urgence. Mom est venue me reconduire chez elle.

Le mari de madame Pincourt est un collègue de travail de Pop. Ils sont soldats dans l'armée. Un jour, monsieur Pincourt s'est plaint qu'aucune gardienne ne voulait revenir chez lui garder ses deux enfants, des jumeaux de 5 ans. Pop a ouvert sa grande trappe et il lui a dit que je pourrais facilement relever le défi. Erreur !

Les jumeaux s'appellent Maxence et Maximilien (tellement originaux comme prénoms !). Ce sont de véritables terreurs ! Ils sont monstrueux !

Ce soir, c'était la troisième fois que je venais les garder. Comme chaque fois que je m'apprête à appuyer sur le bouton de la sonnette, je me dis que ça ne peut pas être pire que la dernière fois. Il y a des limites à ce que des petites personnes peuvent faire comme dégâts. Je me trompe, évidemment. Et je ne suis jamais capable de les différencier parce que ce sont des jumeaux identiques et qu'ils portent les mêmes vêtements.

(…)

Mom vient de se lever et m'a dit qu'il était l'heure d'aller me coucher. « Ouais, ouais », j'ai dit. Elle va se rendormir.

Fait saillant de la première fois que je les ai gardés : Maxence et Maximilien ont mis des cordes partout dans la maison parce qu'ils étaient Spiderman. Deux lampes cassées plus tard, ils criaient que j'étais le Goblin vert (ou quelque chose du genre) et que je voulais les tuer avec mes jets de feu.

Fait saillant de ma deuxième expérience de gardiennage chez eux : Maxence et Maximilien m'ont tendu des pièges dans la maison. Aucun n'a fonctionné, mais j'ai dû ramasser un super dégât d'eau dans la salle de bains. Ils m'ont appelée et quand je suis entrée dans la pièce, ils ont ouvert les robinets de la douche. Évidemment, ils avaient orienté le pommeau de douche vers moi.

Ah oui, à un moment donné, j'ai entendu l'un des deux pleurer. Quand je suis arrivée, il avait du sang partout, sur les mains, sur le visage, sur les cuisses. En fait, c'était du rouge à lèvres que l'autre lui avait appliqué sur le corps. Ils se trouvaient tellement drôles quand ils m'ont vue paniquer.

Ce soir, eh bien, ils ont réussi à se surpasser. Pendant les premières heures, ils ont été très tranquilles. J'ai même eu le temps de faire mes devoirs. J'aurais dû me méfier. Pendant qu'ils jouaient au Nintendo, Maxence (ou Maximilien ?!) est tombé raide par terre. Et il a commencé genre à avoir des convulsions et à

dire des phrases qui n'avaient pas de sens. Je capotais !
L'autre a crié : « Ça recommence » et il a couru dans la
maison avec les bras dans les airs. Quand j'ai décroché
le téléphone pour composer le 9-1-1, ils se sont mis à
rire tous les deux. Je voulais les égorger !

Madame Pincourt trouve ça drôle quand je lui raconte ce qu'ils me font. Elle dit : « Ah ! Ils sont donc ben
mignons ! Ils t'aiment ! » La prochaine fois, je vais les
attacher, je pense.

Tsé, c'est un camarade de travail de papa. Je ne peux
pas lui dire que je ne veux plus garder ses ouistitis.

Au moins, ils me paient bien. Je vais bientôt pouvoir m'acheter une nouvelle paire de jeans ! Et peut-être
les boucles d'oreilles super *cool* que j'ai vues dans un
magasin l'autre jour.

Quand je suis revenue à la maison à pied, j'ai croisé
une moufette. Ce n'est pas la première fois que je la
vois. Elle est toute *cute.*

Wow ! Il est minuit ! Je suis fatiguée. Je vais aller
dormir.

Publié le **29** octobre à **20** h **23** par Nam
Humeur : Effrayée (mais j'aime ça !)

> Le retour des morts-vivants

Super journée !!!

Je n'avais tellement pas le goût de me lever ce matin. J'étais crevée. Et en plus, quand Mom est venue me réveiller, je faisais un rêve *full* intense. Genre y'avait Antoine et il me touchait et j'avais vraiment l'impression qu'il était là, avec moi ! J'aurais aimé que ça se poursuive. Ce gars-là me fait capoter. 😍

Justement, je l'ai croisé à la cafétéria pendant que j'allais me chercher un biscuit avant le premier cours. Il m'a invitée à aller chez lui après l'école ! C'est ce qu'il voulait me demander. J'ai dit… oui !

Il prépare un party d'Halloween et il doit choisir les films d'horreur qu'il veut diffuser sur sa télé pendant la fête.

Mais j'avais un problème. Je ne pouvais pas appeler Mom et lui dire que j'allais chez Antoine. Elle n'aurait jamais voulu. Elle ne le connaît pas, elle ne sait pas où il habite. Je n'ai même pas essayé, c'était peine perdue. Alors je lui ai dit que j'allais chez Mart. Je déteste mentir, mais c'était pour une bonne cause. 😕 Évidemment, j'ai averti Mart, question de protéger mes arrières. Elle m'a dit que c'était OK.

La journée a passé super lentement. C'était fou. Les

secondes avaient l'air de minutes. Je n'arrêtais pas de regarder ma montre. J'ai même halluciné et cru que les aiguilles reculaient !

Pendant le dîner, j'ai joué aux échecs avec Antoine et j'ai perdu, pour la première fois. Il m'a battue à plate couture. Je n'étais pas capable de me concentrer. Il a fallu que je lui redonne le cavalier. Malheureusement !

On a pris l'autobus ensemble ! J'avais l'impression que tout le monde me regardait. Une fille s'est approchée d'Antoine et lui a demandé ce que je faisais avec lui. Il lui a dit que j'étais son amie et elle a fait un drôle de visage. Est-ce que je suis vraiment juste une amie ??!!

Quand on est arrivés chez lui, je me suis rendu compte qu'on était seuls dans la maison. Seuls ! J'ai un peu paniqué. Je n'ai jamais embrassé un gars de ma vie, je ne sais même pas comment. Qu'est-ce que je vais faire s'il essaye ?!

On a visité la maison et après, on est descendus au sous-sol. C'était une drôle de sensation. J'avais peur, mais en même temps, j'étais excitée.

Dans le sous-sol, il y a une super grosse télé. Je me suis assise sur le canapé. Il a mis un DVD dans le lecteur et il s'est assis… à l'autre bout du canapé. J'aurais voulu qu'il se colle à moi !

Des films d'horreur, j'en ai vus quelques-uns. Mais pas comme celui-là. Le sang n'arrêtait pas de gicler. Et chaque fois que ça arrivait, Antoine riait. Il m'a dit que c'est un classique. Ça s'appelle *L'Opéra de la terreur,* je pense. C'est l'histoire de jeunes gens qui se rendent dans un chalet et deviennent tous des zombies. C'était tellement épeurant !

Je me suis permis de me coller sur Antoine. Ce film était dégoûtant, en plus. Des jus de toutes les couleurs jaillissaient de partout, c'était super violent, genre des ventres ouverts et des têtes coupées. Antoine a passé son bras autour de mon cou et il m'a serrée. Ah ! Je me sentais tellement bien ! 🙂

À un moment donné, il y a eu du bruit qui venait d'en haut. Antoine a retiré rapidement son bras. Une fille est apparue. C'était sa sœur. Elle est au cégep. Je l'avais déjà vue, elle travaille au club vidéo. Elle m'a saluée, a regardé le film quelques instants, a dit que c'était « dégueulasse » puis elle est remontée.

Je me suis demandé si je devais faire le premier mouvement vers Antoine. Est-ce que je devais l'embrasser ? J'avais le goût, mais pas le courage. Et s'il me disait non ? S'il me repoussait, me disait « comment oses-tu ? » et me giflait, comme dans les films ? Ouain… Habituellement, ce sont les femmes qui réagissent comme ça. En tout cas, s'il avait essayé, moi, je l'aurais laissé faire !

Sa mère est arrivée. Elle portait un uniforme blanc d'infirmière, comme celui de ma mère. Antoine m'a présentée. Il lui a dit que j'étais une « amie ». (Je veux être plus que son amie !!!) Elle m'a demandé si je voulais souper avec eux, j'ai dit que je devais partir.

Lorsque je suis sortie de chez lui, j'étais sur un nuage ! J'ai même emprunté le mauvais autobus pour rentrer. Je venais de passer un super après-midi. D'accord, j'aurais bien aimé l'embrasser, mais on va se reprendre, c'est sûr.

Quand je pense à lui, j'ai une drôle de sensation dans le ventre. Comme lorsqu'on descend la côte la plus abrupte d'une montagne russe. Mais en pas mal plus agréable.

J'avais un super sourire quand je suis arrivée. Mom m'a demandé comment j'allais, j'ai dit « super bien! ». J'avais le goût de grimper sur la table et de commencer à chanter, comme dans les comédies musicales. J'aime tellement Antoine! C'est fou! Des films d'horreur dégoûtants, j'en regarderais plein avec lui et tout le temps. J'adore!!!

J'ai essayé de faire mes devoirs, mais je n'y suis pas arrivée. Mom a bien vu que je n'étais pas dans mon état normal. Elle n'a pas insisté, mais je pense que si elle l'avait fait, je lui aurais dit ce qui s'est passé.

Je dois laisser l'ordi à Fred. Je vais aller me coucher. Je vais penser à Antoine. Peut-être que ça va me permettre de poursuivre le rêve de ce matin...

> « Ouais »

Je ne sais pas ce qui se passe avec Mart, mais je n'arrive plus à me connecter à elle. Elle est de plus en plus distante. Genre je lui parle sur Messager et ça lui prend une éternité pour me répondre. Quand je lui parle de vive voix, elle ne m'écoute pas. Elle donne la même réponse à tout. J'ai fait un test, je lui ai demandé si un troisième œil lui avait poussé et elle a répondu « ouais ». Qu'est-ce qui se passe avec elle ???

En plus, depuis une semaine, il y a une nouvelle dans la classe. Elle s'appelle aussi Martine. Elle est *full* grande et s'habille vraiment de manière vulgaire. Elle est trop maquillée, elle porte des *strings* et en plus, elle n'arrête pas de mettre des chandails trop serrés pour se montrer. Mart, au début, ne la trouvait pas rapport. Mais je pense qu'elles sont devenues comme des amies. Dans le cours d'Arts plastiques, il fallait se mettre en équipe de deux. Évidemment, Mart a sauté sur Zac. Je me suis retrouvée avec l'autre Martine. Elle n'arrête pas de parler d'elle-même ! Elle a fait ci, elle a dit ça… Et quand elle se penche, elle prend son temps pour que TOUT LE MONDE voie sa craque de boules. C'est pénible, vraiment. 😠

Mais le plus important, ce n'est pas ça. Aujourd'hui, Antoine m'a invitée… à son party d'Halloween !!! Il aura lieu le 2 novembre, jour de la Fête des morts, célébrée partout dans le monde. De toute façon, l'Halloween tombe un jeudi, il ne pouvait pas le faire en pleine semaine. C'est donc samedi prochain. Je vais être la seule secondaire 1, je crois!!! Évidemment, faudra que je le dise à ma mère. Je n'aurai pas le choix.

J'ai reçu un test par courriel. Ça dit que si je le remplis, l'amour de ma vie va m'embrasser samedi prochain!!!! J'ai fait un copier-coller.

Tomber amoureuse, es-tu prête?

1. À la cafétéria, un gars est assis à la table d'à côté et il te regarde. Que fais-tu?

a) Tu lui fais un large sourire pour l'encourager.

b) Tu lui tournes le dos, tu détestes être abordée comme ça.

c) Tu ne le regardes pas, il ne faudrait pas qu'il croie que tu es une fille facile.

d) Tu te tournes vers lui et tu lui demandes s'il ne voudrait pas te passer le sel ou des serviettes de table, par exemple.

2. Tu es sortie à plusieurs et l'ami d'un ami te plaît bien. Que fais-tu?

a) Tu te débrouilles pour être près de lui et tu lui parles souvent.

b) Tu dis à ton ami que tu aimerais revoir son copain.

c) Tu lui lances des regards suggestifs et tu attends.

d) Tu lui laisses ton numéro de téléphone ou ton adresse courriel.

3. L'image que tu as de toi en tant qu'ado :

a) Celle d'une ado peu séduisante et qui doit faire quelques efforts pour plaire.

b) Celle d'une ado ayant un charme personnel, capable d'attirer certains gars.

c) Celle d'une ado très séduisante, mais assez exigeante aussi.

d) Celle d'une ado banale mais pas si mal.

4. Les qualités essentielles du gars que tu recherches :

a) L'affection et la joie de vivre.

b) L'intelligence et la délicatesse.

c) Le sens de l'humour et la bravoure.

d) Le dynamisme et la force.

5. Les défauts que tu ne supportes pas chez les gars :

a) La faiblesse et le mensonge.

b) La mollesse et le négligé.

c) Les vulgarités et la colère.

d) La fragilité physique et psychologique.

Résultat :
Tu es visiblement prête à tomber amoureuse, même si tu restes relativement prudente. Laisse-toi aller un peu !

J'attends le baiser !

J'adore ces questionnaires. Je passerais ma vie à y répondre !

J'ai dit à Antoine que ça allait me faire plaisir d'aller à son party, même si je déteste me déguiser. Je n'ai jamais aimé ça, même petite. Sur toutes les photos qui ont été prises à l'Halloween par mes parents, j'ai les yeux bouffis d'avoir trop pleuré. Et en plus, je DÉTESTE le chocolat. Alors c'est quoi le but? Tsé, si quelqu'un n'aime pas le poisson, est-ce qu'il va faire exprès pour aller manger dans un resto de sushis?

Et en quoi je pourrais bien me déguiser? Je ne peux pas trouver quelque chose de poche. Je veux faire bonne impression! Genre je ne peux pas revêtir un costume de bol de toilette. Ou un gars de la construction, avec moustache et ongles sales. ☹ Il ne me reste que deux jours pour trouver quelque chose de GÉ-NI-AL! Je capote!!!

À l'école, il y a des rumeurs qui courent. Les gens disent que je sors avec Antoine parce que des gens m'ont vue prendre l'autobus avec lui hier. Et je suis souvent avec lui à l'heure du dîner. Je ne fais rien pour les contredire!

Oups! Mom veut me parler.

Publié le 30 octobre à 16 h 50 par Nam
Humeur : En colère

> **Noooooooooooooooooon!**

Shiiiiiit! Ma mère sait que je suis allée chez Antoine hier. Et elle ne veut pas que j'aille à son party d'Halloween. 😞 Je capote!

Elle ne veut pas me dire qui le lui a dit, mais elle est vraiment fâchée parce que je lui ai menti. Elle m'a prise de court, je n'ai pas su quoi lui dire.

J'ai eu droit à un super interrogatoire. Genre qui est ce gars-là? Il a quel âge? Est-ce que ses parents étaient là? Qu'est-ce qu'on a fait? Je lui ai répondu la vérité (sauf si ses parents étaient là).

Je lui ai révélé le fond de ma pensée, que je pensais qu'elle allait dire non, c'est pour ça que je lui ai menti.

(…)

Je viens de *tchatter* avec Mart. Sa mère a parlé à la mienne aujourd'hui. C'est elle qui a dit que je ne suis pas allée chez elle hier après-midi. Elles ne se parlent jamais ces deux-là. Pourquoi il a fallu qu'elles entrent en contact le lendemain du seul mensonge (ou presque) que j'aie raconté à ma mère?

J'ai dit à Mart que je m'étais fait prendre et sa seule réponse a été que ça ne pouvait faire autrement que d'arriver. Super fine! 😞

J'ai parlé à ma mère de la fête chez Antoine. Ses derniers mots : il n'est pas question que j'y aille. Elle veut même appeler ses parents pour leur parler de ce qui s'est passé hier!!! La honte! J'ai 13 ans! Pas 8!

Je ne vais jamais la laisser les appeler. Je vais passer pour une fille à sa maman de cinquième année! Et qu'est-ce qu'Antoine va penser de moi? Elle veut qu'on en discute avec Pop quand il va rentrer.

Là, je dois y aller parce que Fred veut jouer à ces trucs stupides.

> Sont complètement bouchés

Je viens de m'engueuler d'aplomb avec mes parents. C'est la première fois que c'est si intense.

Mon père ne s'occupe jamais de moi, mais quand vient le temps de me faire des sermons, il a toujours une heure à me consacrer. Il a commencé à me dire que j'étais une fille, que je devais faire attention avec qui je me tenais, que ce garçon, Antonin (je n'ai pas essayé de le corriger), on ne le connaissait pas, qu'il avait peut-être des « idées croches ». J'ai essayé de donner mon opinion, mais mon père s'en contrefout. C'est un militaire, il a toujours été allergique à toute forme de résistance. Plusieurs fois, il m'a dit de me taire, que c'était lui qui parlait.

Selon lui, j'ai fait la preuve que je n'étais pas encore assez vieille pour être laissée sans surveillance. Pour le prochain mois, après l'école, je devrai rentrer directement à la maison.

Et là, Mom m'a demandé si Antonin (Antoine !!!) avait fait quelque chose de « mal ». Elle m'a dit que mon corps m'appartenait et que personne n'avait le droit d'y toucher sans mon autorisation. Que les gars n'ont pas le droit de me toucher. Je sais tout ça !!!

Elle a voulu savoir s'il s'était passé quelque chose.

J'ai répondu que ce n'était pas de ses affaires. Mon père a élevé le ton, disant que je devais rester polie. C'est vrai que ça ne la regarde pas ! J'ai ajouté qu'elle devrait plutôt s'inquiéter de Fred, qui passe son temps à regarder des femmes toutes nues sur le Net. Elle n'a pas aimé ça !

C'est à ce moment que j'ai accusé Mom de lire mon journal intime. Elle a joué les innocentes, elle m'a juré qu'elle ne ferait jamais ça. Je ne la crois pas !

Je vais avoir l'air de quoi, maintenant, face à Antoine ? Et s'il m'invite encore chez lui ? Je vais lui dire : « Non, mes parents ne veulent pas » ? J'ai 13 ans ! Je suis au SE-CON-DAI-RE ! D'accord, je n'aurais pas dû mentir, mais c'était parce que je me doutais de la réaction de ma mère.

Shiiiiiit !

Je vais inventer quelque chose pour Antoine. Et je vais assassiner ma mère si elle appelle ses parents !

En plus, j'ai mal au ventre depuis que je suis rentrée.

Je suis très contente pour vous

Namx♡x

Publié le 31 octobre à 15 h 47 par Nam
Humeur : Abasourdie

> Impossible !

Mart et Zac sortent ensemble !!! 😲

Je n'en reviens juste pas !

Ils se sont même embrassés devant moi !

Je CAPOTE ! Ça me fait mal.

Je devrais être heureuse. C'est ma *best* et Zac est super fin. Mais je n'y arrive pas. C'est super égoïste, mais en même temps, je ne peux pas m'en empêcher. Je suis peut-être, dans le fond, une Réglisse noire qui s'ignore !

Ça s'est produit hier soir, paraît. J'ai passé une bonne partie de la soirée en ligne et elle ne m'a rien dit !!! Pourquoi ?! Je lui parle de tout avec Antoine et elle, elle ne me dit rien de sa relation avec Zac ? Je ne la comprends pas.

J'ai passé la journée à me repasser le film de deux secondes de Mart et Zac s'embrassant. Chaque fois, j'ai eu un point au cœur. C'est comme si ça m'avait fait réaliser que j'aimais Zac. Mais j'aime Antoine aussi. Je leur ai dit que j'étais contente pour eux. Mais ça paraissait que ce n'était pas vrai. Je pense qu'il y a des moments où t'as pas le choix de mentir. Je ne pouvais pas leur dire : « Ça me fait suer de vous voir ensemble et j'aimerais être à ta place, Martine. » Ouch !

C'est comme si cette histoire avec Zac et Mart faisait en sorte que j'aimais moins Antoine. C'est *weird*.

C'était l'Halloween aujourd'hui et on pouvait aller à l'école déguisés. Mart et Zac étaient habillés en Roméo et Juliette. *Full* original !

Ah non ! Sur Messager, le nom de Mart est : « Martine est en amooouuurrrrr avec Zac ». Zac, c'est : « Z@chAri3 : moi aussi je tème ». Ça va me rendre folle. Je dois penser à autre chose.

Il n'y a plus rien qui va. Est-ce que c'est parce que ça allait trop bien dans ma vie ? Genre j'étais comme trop heureuse et là faut que je paye pour ça ? 🙁

J'ai des crampes dans le ventre. Ça m'a même réveillée la nuit dernière. Il a fallu que je change mes draps de lit. Pourquoi les filles doivent-elles avoir des menstruations ? C'est *full* injuste.

J'ai joué aux échecs avec Antoine ce midi et il m'a complètement plantée. Je n'étais vraiment pas dedans. Il a fallu que je lui raconte une histoire pour lui expliquer que j'avais changé d'opinion pour samedi. J'ai dit une niaiserie, genre que j'avais un souper de famille. Il n'avait pas l'air trop déçu. En tout cas, moi je le suis !

Il y a Martine-aux-grosses-boules qui est apparue dans le local d'échecs. Elle était déguisée en danseuse du ventre, je pense. Ou en prostituée. Tous les gars ont arrêté de jouer et ont fixé les deux trucs situés entre son nombril et son menton. Quoi ??!! Ce sont des seins !!?? Vous n'avez jamais vu ça ?! Même Antoine n'a pas pu s'empêcher de les regarder.

Martine connaît Antoine ! Ils sont voisins. Martine

va être au party d'Halloween! Mais pas moi parce que mes parents ne veulent pas. 😠

J'ai eu un examen de maths et je ne comprenais pas les questions. Le gars à côté de moi dans la classe, déguisé en robot avec du papier d'aluminium, n'arrêtait pas de bouger et de faire du bruit. En plus, il arrachait des morceaux de son costume et se les mettait dans la bouche. Je vais couler cet examen-là, c'est sûr.

C'était une journée de merde.

Je vais aller faire mes devoirs même si j'ai TELLE-MENT le goût.

Je n'en reviens pas… Mart et Zac sortent ensemble.

Publié le 1ᵉʳ novembre à 10 h 24 par Nam
Humeur : Grognonne

> **On doit l'aider**

Je suis présentement à l'école, dans la biblio. C'est une « période de leçons », moment où on est supposés faire ses devoirs et étudier. Mais personne ne l'utilise pour ça.

Mart et moi, on a parlé ce matin. Elle s'est rendu compte que je n'étais pas trop à l'aise avec elle à cause de sa relation avec Zac. Je lui ai dit que je trouvais ça un peu bizarre parce qu'elle l'a toujours trouvé stupide. Elle m'a répondu qu'il avait changé et que maintenant, elle l'aimait. Elle m'a annoncé que l'autre Martine l'avait invitée au party d'Antoine avec Zac. Je vais être la seule à ne pas y être ! 🙁 Génial ! Pendant qu'ils vont s'amuser, moi je vais jouer à Démineur sur mon ordinateur. Non, tiens, pendant qu'ils vont faire la fête, je vais faire mes devoirs. Super !

Mart a aussi ajouté qu'elle tenait à moi et qu'elle voulait continuer à être ma *best*. Moi aussi, c'est sûr. Je l'aime bien, Mart.

J'ai utilisé la Réglisse rouge en moi, ce matin. Quand je suis sortie de l'autobus, une fille s'est approchée, disant qu'elle avait besoin de mon aide. Elle est dans l'autre classe. C'est elle que les gars ridiculisent parce qu'elle a un surplus de poids. Le pire, c'est qu'elle n'est pas super grosse. Elle a juste des hanches larges.

Je ne savais pas trop comment réagir. Quand elle a commencé à parler de ses problèmes, elle s'est mise à pleurer. Je l'ai prise dans mes bras pour la consoler. Elle souffre vraiment, cette fille. Chaque matin de la semaine quand elle se lève, elle a mal au cœur. Et les dimanches soirs, c'est pire, elle ne peut pas s'endormir parce qu'elle est *full* angoissée. Elle a des idées noires. Elle m'a raconté tout cela en moins de deux minutes. Elle avait vraiment besoin de parler. Sa mère est au courant, mais elle dit que sa fille doit se débrouiller avec ses problèmes, que c'est ça « la vie ». Ce n'est pas ça, la vie ! Moi aussi je me suis fait souvent niaiser parce que je porte des lunettes. J'ai mis mon pied à terre, mais s'ils s'étaient mis dix à m'écœurer, je n'aurais pas pu. Il y a des limites.

Je me demande pourquoi les professeurs ne réagissent pas quand une fille se fait harceler ! Pourquoi ils ne disent pas aux gars ou aux filles de se la fermer ? C'est évident que c'est blessant ce qu'ils disent, non ??!! Tsé, si quelqu'un bat quelqu'un d'autre, on va l'arrêter. Insulter à répétition, c'est pire que de se faire battre, je pense. Cette fille-là n'a plus aucune estime d'elle-même.

À la première période, je suis allée avec elle au bureau du directeur (pas grave, c'était une période de maths ! 😎). Elle y avait pensé mais elle n'avait pas le courage d'aller le rencontrer. Le directeur n'était pas là, on a parlé à son assistant. Il était pressé, il n'arrêtait pas de regarder sa montre et de répondre au téléphone. Il a dit qu'il allait faire un « suivi ». On verra bien. La fille (qui se prénomme Kelly-Ann, soit dit en passant) m'a remerciée en me quittant. Je n'ai pas fait grand-chose. J'espère que ça va changer parce que je pense qu'elle est vraiment au bord du suicide. 😶

Ah oui, l'ortho suprême de Sébastien est de retour à l'école. Il regarde le plancher quand il marche et il a un pansement sur le front. Il n'a pas dit une seule niaiserie depuis qu'il est revenu.

Je m'en vais en éducation physique. Yé, on joue au hockey cosom, les gars vont encore faire leurs frais.

Publié le 1ᵉʳ novembre à **16 h 21** par Nam

Humeur : Grognonne

> *Frue*

Tantôt, avant d'entrer dans l'autobus, Antoine m'a interceptée et il m'a demandé si j'avais le goût de regarder un autre film d'horreur avec lui dans son sous-sol. Le goût, ce n'était pas ça qui manquait ! Mais je devais retourner à la maison, comme une sage petite fille tellement heureuse d'obéir aux ordres de ses parents. Je lui ai dit que j'avais rendez-vous chez le dentiste (MENTEUSE !). Minable excuse.

On m'a appris que Kelly-Ann était partie avant la fin des cours parce qu'une fille l'a comparée à un hippopotame. Le directeur-adjoint n'est pas intervenu dans la journée !!! Lundi, je vais aller le voir. C'est sérieux, cette histoire.

Il est arrivé un accrochage pendant le cours d'éduc. Sébastien a donné un coup de bâton de hockey sur les mollets de Zac. Il dit qu'il n'a pas fait exprès, mais plein de gens l'ont vu. Zac, il est super bon au hockey, il ferait n'importe quoi pour jouer. Il a dû passer le reste du cours sur le banc avec un sac de glace sur son bobo.

J'en ai profité pour lui parler. Je l'ai félicité pour le couple qu'il formait avec Mart, même si ça m'a fait mal. Je crois que ça l'a gêné que je lui en parle.

Pourquoi suis-je jalouse ?! D'où vient ce sentiment

tellement Réglisse noire ? C'est laid et c'est con. Mais je n'y peux rien.

On dirait que parce que Mart sort avec Zac, je réalise à quel point je l'aime. Il a des yeux hallucinants. Mais bon, trop tard, y'aurait fallu que je lui dise avant. Et une fille ne peut pas avoir deux chums. Pourquoi ? Tsé, c'est dommage.

Je n'ai rien à faire ce soir. J'ai *full* devoirs (faut que je prépare entre autres un exposé sur le réchauffement climatique 😮, mais je n'en ai pas le goût). Peut-être qu'Antoine sera en ligne ? J'espère.

Mom n'est pas là, elle travaille jusqu'à 20 h ce soir. Y'a que Fred et Tintin dans la maison. Je vais peut-être aller jouer à des jeux vidéo avec eux, même si je suis la plus poche des poches.

Ça me rend dingue de penser que Mart, Zac et l'autre fille vont être au party d'Antoine demain soir et pas moi. J'espère que je ne vais rien manquer.

Ceci n'est pas
une petite culotte
(c'est un chapeau)

Namx♡x

Publié le 1er novembre à 17 h 20 par Nam
Humeur : Déstabilisée

> Biz biz bizarre !!!

OK, là, il vient de se produire quelque chose de vraiment trop *weird*. Après avoir écrit mon dernier billet, je m'apprêtais à descendre au sous-sol pour aller jouer aux jeux vidéo avec les gars. Je suis passée devant ma chambre. La porte était fermée, ce qui n'est pas normal. Si je laisse la porte fermée, Youki se lamente parce qu'il adore aller se coucher sur mon lit. Je l'ai donc ouverte et j'ai vu Tintin, l'ami de mon frère, assis sur mon lit, en train de lire mon journal intime avec une de mes vieilles culottes sur la tête !!!!! 😮

Je ne niaise pas. J'étais tellement surprise que j'ai reculé et j'ai refermé la porte. Mais je l'ai rouverte tout de suite après. Tintin n'avait pas bougé. Il me regardait au travers de la plus affreuse de mes culottes, chacun de ses yeux apparaissant dans l'ouverture pour les jambes. Et là, le plus sérieusement du monde, il m'a dit : « Je veux aussi être un suppôt des Réglisses rouges ».

Shiiiiiit! Ce n'était pas Mom qui lisait mon journal, mais bien Martin ! 😶

J'aurais dû être super fâchée, mais au lieu de ça, je suis partie à rire. La scène était trop surréaliste. J'ai tendu la main pour qu'il me redonne mon journal intime. Il l'a tranquillement refermé. Moi, je n'arrêtais pas de rire. Genre que ça me faisait mal au ventre.

Toujours avec ma super laide culotte sur la tête, il est sorti de ma chambre. Je me suis couchée sur mon lit parce que je n'arrivais plus à m'arrêter de rire. Quelques instants plus tard, j'ai entendu mon frère crier quelque chose. Il a monté les marches deux par deux et il a lancé ma petite culotte en me disant de garder mes terrifiantes affaires dans ma chambre. (Il a vraiment utilisé le mot « terrifiant » !)

Je pense que j'ai ri pendant genre cinq minutes. Youki a grimpé sur mon lit et, probablement parce qu'il ne me trouvait pas dans mon état normal, il a commencé à me lécher le visage.

Il y a longtemps que je n'ai pas eu un fou rire comme celui-là. C'est vraiment libérateur. Genre que toute l'angoisse que j'avais accumulée pendant la semaine s'est comme volatilisée. Ça devrait m'arriver plus souvent.

Je viens juste de réaliser que Tintin connaît tout de ma vie depuis deux ans. Si c'était ma mère, ce serait moins pire, me semble. Le meilleur ami de mon frère, c'est autre chose. Et j'ai écrit en plus que je le trouvais beau !

Mom vient d'arriver. Je dois lui parler : je lui dois des excuses.

Publié le 1er novembre à 20 h 57 par Nam
Humeur : Surexcitée

> **Volte-face**

Je vais pouvoir assister au party d'Antoine demain soir! Je suis tellement contente! Je n'en reviens juste pas. J'étais persuadée que je n'avais plus aucune chance. Quand mes parents prennent une décision, jamais ils ne la remettent en cause. C'est une première!

Quand j'ai entendu Mom arriver, je suis tout de suite allée la voir. Je me sentais mal d'avoir pensé que c'était elle qui me lisait en cachette. J'en étais tellement persuadée que j'ai même osé l'accuser devant Pop. C'était comme évident que j'ai eu tort. Je crois que dans ces cas-là, il faut faire preuve d'humilité (ça ne m'arrive jamais parce que je suis tellement parfaite).

J'ai été interceptée par Tintin qui voulait absolument me parler. Je lui ai dit que je n'avais pas le temps, il m'a répondu que ça ne pouvait pas attendre.

Nam : Qu'est-ce que tu me veux?

Tintin : Je suis désolé pour ce qui s'est passé. Je n'aurais pas dû.

J'ai été prise au dépourvu parce que mon cerveau était en mode « excuse », pas en mode « accuse ».

Nam : C'est grave, ce que t'as fait.

Tintin : Je sais. Mais c'était plus fort que moi. T'es une fille passionnante.

Nam : ... (Je pensais à tout ce que j'avais écrit dans mon journal intime ; « passionnant » est le dernier mot que j'utiliserais pour me qualifier).

Il s'est jeté à genoux devant moi.

Tintin : Je veux être sauvé quand elles vont envahir la Terre.

Nam : De qui tu parles ?!

Tintin : Les Réglisses rouges. Je veux faire partie de la même race que toi.

Nam : C'était n'importe quoi. Je savais que quelqu'un lisait mon journal. Je voulais le faire réagir, c'est tout.

Tintin : Je ne te crois pas. Je pense que t'entends vraiment des voix. Je t'ai observée, tu sais. T'es bizarre, comme moi.

Nam : Je ne suis pas bizarre !

Tintin : Allez, sauve-moi !

Nam : Te sauver de quoi ?! C'était une BLA-GUE.

Tintin : Je comprends que tu fais comme de si rien n'était. Si j'étais un élu, je ferais la même chose.

Je l'ai contourné. Il commençait à me faire peur. Je suis allée parler à Mom. Je lui ai demandé pardon pour l'avoir accusée d'avoir lu mon journal intime. Je n'ai cependant pas dit que c'était Tintin. Je ne voulais pas le mettre dans l'embarras plus qu'il ne l'était.

Elle a trouvé mon geste courageux. C'est là qu'elle m'a dit que la mère de Mart l'avait appelée pour lui parler du party chez Antoine. La mère de Mart se disait rassurée de savoir que j'allais être là. C'est à ce moment que Mom a changé d'idée !

Elle m'a dit qu'elle ne comprenait toujours pas pourquoi je lui avais menti, mais que malgré tout, elle avait encore confiance en moi.

Cooooooooollllllllll !

Faut maintenant que je me trouve un costume ! Je n'ai aucune idée de ce que je pourrais mettre ! Et faut que je trouve quelque chose qui va impressionner Antoine. Un truc genre hallucinant, qui lui fera dire WOW ! quand il me verra ! Mom m'a promis qu'elle allait m'aider.

Publié le **2** novembre à **7** h **20** par Nam
Humeur : Anxieuse

> **Mauvaise nuit**

J'ai tellement mal dormi. J'ai éteint ma lampe de chevet genre à minuit et je me suis retournée un million de fois dans mon lit. Je n'arrêtais pas de penser à ce qui va se passer ce soir.

J'ai réalisé que c'était le premier vrai party de ma vie. Les anniversaires quand j'étais au primaire, ça ne compte pas. Là, c'est un truc avec des plus vieux.

Il y a aussi le problème de mon costume qui m'énerve. J'ai hâte que Mom se réveille et qu'on parte magasiner. Je me dis qu'au moins, parce que l'Halloween est passée, le choix sera plus grand. Je déteste me déguiser, mais puisqu'il le faut.

Avant de me coucher, j'ai envoyé un courriel à Antoine pour lui dire que j'allais finalement être là ce soir. Voici ce qu'il m'a répondu :

« Kool ! J'ai ate de te voire. »

Ayoye les fautes, je sais. Mais je l'aime comme ça !

(…)

Je viens de *tchatter* avec Mart, elle va venir avec moi magasiner. C'est une bonne nouvelle parce que Mom n'est pas une très bonne conseillère. En septembre

82

dernier, quand on est allées magasiner pour la rentrée, elle est tombée amoureuse d'une blouse fleurie. Elle voulait absolument qu'on l'achète. Une blouse fleurie? C'était *cool* dans les années 90, ça! Elle était super chère en plus. Mom pense que plus le prix est élevé, plus c'est à la mode. Pour mes chaussures, c'est pareil. Y'avait une paire qui faisait de la lumière quand on marchait. Elle disait que ça allait être pratique la nuit. Ouache!

Je me demande comment ça va se passer ce soir. Est-ce qu'il va y avoir beaucoup de monde? Quel genre de musique on va écouter? Est-ce que je vais être obligée de danser? Et Antoine? Est-ce que je vais pouvoir l'approcher? Est-ce qu'il va être différent avec moi? J'espère que non!

Je n'en peux plus, je vais aller réveiller Mom.

Moi et la carotte géante

Nam x♡x

Publié le **2** novembre à **12** h **26** par Nam
Humeur : Déçue

> Pitoyable

Shiiiiiit! Je reviens de magasiner avec Mart et Mom. C'est une catastrophe. Pire, c'est l'Apocalypse!

Les trois premiers magasins où on peut louer des costumes étaient fermés. Et ceux qui étaient ouverts n'offraient que des trucs moches, les plus beaux étant au lavage ou pas de ma taille! J'étais découragée.

Dans le dernier magasin, la vendeuse m'a dit qu'il lui en restait un inutilisé. Je comprends pourquoi! C'est une mascotte! Super laide. Genre un raton laveur qui vient de se faire écraser sur le bord d'une route. Quand je l'ai essayé, Mart et Mom n'arrêtaient pas de rire. Finalement, je n'ai comme pas eu le choix. La dame trouvait que je faisais tellement pitié qu'elle nous a accordé une réduction de 75 %.

Il est épouvantablement laid. Et il pue! C'est terrible. Comme si les dix personnes qui l'ont enfilé avant moi ne s'étaient pas lavées. Comble de malheur, je ne peux pas porter mes lunettes! Je ne vois rien. Je vais donc avoir l'air d'un raton aveugle écrasé sur le bord de la route. On fuyait le magasin quand la vendeuse nous a rattrapées pour nous remettre un accessoire *full* important : une carotte géante. Depuis quand les ratons mangent-ils des carottes?

Je songe à ne pas aller au party. J'ai comme trop honte. D'ailleurs, quand je l'ai essayé dans le magasin, deux enfants se sont mis à pleurer en me voyant. Quelqu'un croit que je vais avoir du plaisir avec ce costume? Quand Antoine va me voir arriver, il va effectivement dire WOW! comme dans : WOW! C'est fou à quel point le costume de Namasté est affreux.

Mom et Mart m'encouragent mais tsé, qu'on le regarde de tous bords tous côtés, le costume est une honte. Et il faut que ce soit moi qui le porte le soir le plus important de ma vie! Depuis que je suis entrée dans la maison avec la tête de raton, Youki s'est réfugié en dessous du lit de mes parents et il tremble comme une feuille. En fait, je crois que c'est la carotte géante qui l'a vraiment traumatisé. D'ailleurs, si j'avais moins d'orgueil, je ferais la même chose que lui.

C'est décidé, je n'y vais pas. Je vais manger des réglisses rouges toute la soirée. Et regarder un film romantique.

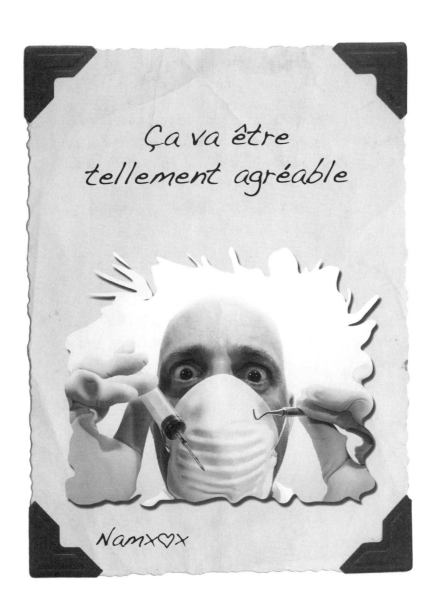

Ça va être tellement agréable

Namx♡x

Publié le 2 novembre à 16 h 07 par Nam
Humeur : Résignée

> **Pas le choix**

Je viens de parler avec Mart de mon intention de ne pas aller au party et elle s'est fâchée. Parce que si je n'y vais pas, elle ne pourra pas y aller. Et si elle n'y va pas, Zac n'ira pas non plus. Alors je suis cuite.

J'ai demandé à Grand-Papi de nous reconduire chez Antoine. Quand il a vu mon déguisement, il a dit que jamais il ne laisserait cette chose entrer dans son auto. Il blaguait, je sais.

Il pue comme c'est pas possible, ce costume. Mom a vaporisé un produit désodorisant à la rose dedans. Maintenant, ça sent la rose ET la sueur. Grand-Papi m'a suggéré de me mettre quelque chose sur le nez et de respirer par la bouche.

Ah oui, y'avait aussi une tache suspecte sur la joue du raton. Le poil était tout craquant. Mom a enlevé la tache. Je ne veux pas savoir ce que c'était !

Je tourne en rond. J'ai des devoirs à faire, mais je n'ai pas la tête à ça. Cette soirée me rend hyper nerveuse. Et y'a les yeux de la mascotte qui n'arrêtent pas de m'observer... Comme si elle était vivante.

C'est Grand-Papi qui va venir nous chercher là-bas Mart et moi. À 23 heures. Mom voulait 22 heures, j'ai négocié pour 23. Hé, hé... De toute façon, vu que le party commence à 20 heures, une demi-heure plus tard, je vais être écœurée et je vais vouloir partir.

Mart va dormir à la maison. Ça fait longtemps qu'elle n'a pas fait ça, ça va être *cool*. On parle genre super longtemps et on se couche à une heure impossible. 😊

Plus j'y pense, et plus je me dis que ça va être une torture, ce party.

> C'était super, finalement

Ouf! La soirée est enfin terminée. Quand on est rentrées, Mart et moi, on a commencé à parler, mais elle avait sommeil et, au bout d'un moment, elle s'est endormie. Moi je n'y arrive pas. Alors j'ai décidé d'écrire sur mon blogue.

Mart et moi avons tout de même eu une bonne discussion. Le genre que je ne peux avoir qu'avec elle. On s'est dit les vraies affaires, sans se censurer. Entre elle et moi, il y a des liens « célestes » (c'est l'expression de Mom). On est nées toutes les deux un vendredi 13. On a perdu notre première dent la même journée, pendant la même récréation quand on était en première année. Elle, en mordant dans une pomme, moi, en jouant au ballon poire. Elle a crié qu'elle venait de perdre sa dent, je me suis retournée et j'ai reçu le ballon sur la bouche. Pendant longtemps, nous avons été de la même grandeur. Aujourd'hui, je suis un peu plus grande. Notre premier soutien-gorge, on l'a acheté ensemble. On a eu aussi nos premières règles la même semaine, l'année dernière. Elle et moi, c'est pour la vie.

Elle m'a demandé si j'aimais Zac et je lui ai répondu franchement : oui, je l'aime. Mais j'ai ajouté que ça n'a été clair que lorsqu'elle a commencé à sortir avec. Elle m'a dit que Zac lui parlait souvent de moi, qu'il me trouve formidable. Ça m'a fait plaisir d'entendre ça.

Elle m'a avoué qu'elle était un peu jalouse de ma relation avec Antoine. Je me suis rendu compte que lorsqu'on est *full* honnête avec quelqu'un, ça enlève toutes les tensions. Mais je pense que ce n'est pas avec tout le monde qu'on peut agir comme ça. On se dévoile et ça fait en sorte qu'on est plus vulnérable.

Pour en revenir au party, genre dix minutes avant de partir, je me suis décidée à porter le costume et à l'assumer totalement. C'était quoi cette histoire d'angoisser?! C'est une fête, pas une audition pour Star Académie! Grand-Papi m'a fait comprendre que tant qu'à être ridicule, fallait l'être jusqu'au bout. Pas facile! Je me suis regardée dans le miroir avant de partir et pendant genre une seconde, j'ai voulu disparaître. Est-ce que je m'apprêtais à faire une gaffe? J'ai chassé ces questions-là de ma tête et j'ai foncé. J'ai même apporté la carotte géante. Mais je n'ai pas oublié mon pince-nez. Même si Mom avait mis la tête de la mascotte dehors, l'odeur désagréable était toujours là. (Je ne suis pas sûre, mais y'a peut-être un chat errant qui a fait pipi dedans, y'avait une odeur de plus. ☺)

On est allés chercher Mart chez elle. Elle était super belle! Elle portait encore son costume de Juliette, mais elle était maquillée. Elle avait l'air d'une fille de 16 ans, au moins!

On est arrivées chez Antoine à 8 heures moins 5. On se disait qu'on serait les premières. C'est moins gênant, dans ce temps-là. Mais non! Tout le monde était arrivé!

TOUS les regards se sont tournés vers nous quand on est entrées dans la maison.

J'ai vu les gens rire de moi, mais bon, je me suis dit que c'était le but, non? Je n'avais pas fait deux pas que j'ai trébuché sur je ne sais trop quoi à cause de la carotte géante. Pas de lunettes + casque de mascotte qui pue = catastrophe. Je suis tombée sur le ventre et j'ai rattrapé ma tête au dernier instant. Je me suis relevée et le pas suivant, mon pied a frappé je ne sais quoi (c'était une table de salon) et j'ai encore trébuché. J'avais *full* honte! Les gens n'arrêtaient pas de rire. Je me suis rappelé les paroles de mon grand-père : tant qu'à être ridicule, autant l'être jusqu'au bout. Alors j'ai fait exprès de tomber une autre fois. Les gens s'en sont rendu compte. Du même coup, ils ont pensé que les deux premières fois n'étaient peut-être pas des accidents... 😄 Quand j'ai entendu des « c'est qui? » dans mon dos, j'ai pris conscience que personne ne savait qui j'étais. J'ai alors pris une bonne inspiration (par la bouche, évidemment) et j'ai enlevé ma tête de raton laveur.

Antoine, qui était déguisé en motard, est tout de suite venu me voir pour me dire que mon costume était super *cool*. Ses amis ont fait comme lui. Genre y'avait plein de gens de secondaire 4 et 5. Toute l'équipe d'impro était là aussi. Le capitaine m'a même demandé si ça me tentait de me joindre à eux parce qu'il est à la recherche de gens pas gênés. En réalité, je suis *full* timide!

Martine, la nouvelle de la classe, était là. Elle portait... un bikini!!! Tout pour montrer son corps. Et je dois dire que je suis assez envieuse. Tsé, c'est déjà une femme même si elle n'a que 13 ans. Y'avait plein de gars collés sur elle. Mais pas Antoine !

Je n'ai pas porté la tête de mascotte de la soirée et je ne me suis vraiment pas ennuyée. Je me suis fait plein de nouveaux amis ! Même la fille qui m'avait regardée d'un drôle d'air quand j'étais dans l'autobus avec Antoine est venue me parler. C'était *cool*.

Mart était triste parce que Zac n'a pas pu venir au party. C'était pour lui qu'elle s'était faite toute belle. Elle m'a dit qu'il était puni et qu'elle ignorait pourquoi.

Il me reste plein de choses à écrire, mais là, je suis supra fatiguée. On se reprend demain. Euh, je veux dire aujourd'hui.

Publié le 3 novembre à 10 h 18 par Nam
Humeur : Pétillante

> C'était super, finalement, la suite

Mes règles sont finies ce matin. Y'était temps ! C'est peut-être utile pour avoir des enfants, mais pourquoi on ne les commencerait pas plutôt genre à 20 ans ? Et qu'on ne les finirait pas à 40 ? La prof de morale dit que c'est parce que dans certaines sociétés ou à certaines époques, les filles devenaient mères à 14 ans. La nature devrait s'adapter plus vite !

Ce matin, Grand-Papi nous a préparé une assiette de pain doré noyé dans du sirop d'érable. Miam ! C'était *full* bon. J'en ai mangé jusqu'à ce que j'aie mal au cœur. Puis le père de Mart est venu la chercher pour la fin de semaine. Elle était contente de le voir, ça faisait genre un mois qu'elle n'était pas allée chez lui.

Hier soir, donc. Je n'ai pas passé beaucoup de temps avec Antoine. Il était trop accaparé par ses invités. À un moment donné, il s'est fâché parce qu'un de ses amis déguisé en hot-dog avait apporté de la bière. Il ne voulait pas de ça chez lui. Le hot-dog est donc allé la boire dehors. (J'élimine aussitôt cette information de mon cerveau au cas où ma mère me demanderait s'il y avait de l'alcool sur place.) Je disais quoi, au juste ?

Puis j'ai vu que Martine, la nouvelle, pleurait dans un coin. Je suis allée la rejoindre. Elle sentait l'alcool à plein nez. Je lui ai demandé pourquoi elle pleurait. Elle s'est jetée dans mes bras en bredouillant des trucs incompréhensibles. Je lui ai demandé de répéter et j'ai fini par comprendre que personne ne l'aimait. Elle a peut-être raison, je ne l'aime pas trop, cette fille. Elle est trop *show off*. Mais ça m'a tout de même fendu le cœur de la voir ainsi. Alors avec Antoine, je suis allée la reconduire là où elle habite, dans une famille d'accueil. La dame n'était pas contente de la voir arriver dans cet état. Elle m'a genre regardée et m'a demandé si c'était moi qui l'avait fait boire. 😕 Non, mais!!!

Sur le chemin du retour, Antoine m'a parlé d'elle. Elle a eu une vie super difficile. Elle a vécu dans genre dix familles d'accueil. Son père est en prison et sa mère dans un hôpital psychiatrique. Sachant ça, je vais être moins dure avec elle. Peut-être que je pourrais essayer de me rapprocher d'elle pour mieux la comprendre.

Avant d'aller retrouver les autres, Antoine m'a dit qu'il était heureux que je sois venue. J'ai dit que son party était *cool*. Idéalement, il m'aurait prise dans ses bras pour m'embrasser. Mais il ne l'a pas fait. Est-ce qu'il va falloir que je prenne les commandes?!

J'ai dansé! C'était des chansons que je ne connaissais pas, des tounes des années 90. On a eu beaucoup de plaisir, même si je crevais de chaleur dans mon costume. Genre que ça glissait. Et quand je l'ai enlevé... Ayoye! Ça ne sentait pas super bon!

Grand-Papi est venu nous chercher à onze heures et quart. Personne n'était encore parti, à part Martine, bien entendu. J'aurais vraiment voulu rester. Mais bon, faut pas que j'exagère avec Mom.

(...)

Antoine vient de m'inviter sur Messager chez lui pour regarder un autre film d'horreur. Il dit qu'il ne connaît personne d'autre qui aime ça autant que moi. *Cooooooooooool!* 😃 Mais là, je n'ai pas le choix, je dois en parler avec Mom. J'espère qu'elle va dire oui !

Il a ajouté que j'avais oublié la carotte géante. C'est une tragédie ! Et une excellente raison pour retourner chez lui.

Publié le 3 novembre à 20 h 12 par Nam
Humeur : Rayonnante

> Sur un nuage blanc

J'ai passé l'après-midi et la soirée chez Antoine. Et c'était GÉ-NI-AL.

Mom a accepté que j'aille chez lui, mais après quelques hésitations. Elle a tenu à m'y reconduire en voiture. Quand on est arrivées chez lui, elle a vu la mère d'Antoine qui passait le râteau sur le terrain. Elles se connaissent, elles ont déjà travaillé ensemble à l'hôpital. Ça a tout de suite mis Mom en confiance.

Antoine et moi, on a regardé deux films d'horreur. Le premier, *Massacre à la tronçonneuse,* était vraiment effrayant. Il n'y avait pas beaucoup de sang, mais l'atmosphère était *full* troublante. C'est l'histoire d'ados qui se font comme kidnapper par une famille de cannibales. Et là, y'a un géant qui apparaît. Il porte un masque fait de peau d'être humain et il a une tronçonneuse.

Après, on a vu un film super mal fait. Antoine, pour le qualifier, a utilisé le mot « psychotronique ». Il dit que c'est tellement mauvais que c'est bon.

C'est l'histoire de Martiens qui kidnappent le père Noël parce qu'ils veulent avoir des cadeaux eux aussi. C'était *full* nul. Je ne me rappelle même plus du titre.

Dès le début, on s'est collés sur le canapé. Je me

disais que c'était le moment où jamais, qu'il allait sûrement m'embrasser. Sauf que son père est descendu et il a passé l'après-midi avec nous. ☹ Lui aussi aime bien les mauvais films. Mais il était bizarre. Genre il ne riait jamais aux bons endroits.

Après, la mère d'Antoine m'a invitée à souper. J'ai appelé Mom et elle a dit oui. On a mangé du spaghetti. C'était correct. Ce n'est pas celui de Mom, en tout cas !

Pendant qu'on mangeait, on a sonné à la porte. C'était Martine. Elle voulait savoir si Antoine faisait quelque chose, elle s'ennuyait. Il a dit qu'il était avec moi, mais elle est entrée quand même !

On avait l'intention de regarder un autre film d'horreur, mais Martine était contre. Elle nous a dit que sa vie était « un film d'horreur » et qu'elle ne voulait pas en rajouter. On s'est tous déplacés dans la chambre d'Antoine et on a placoté. En fait, c'est Martine qui a parlé. Elle nous a raconté sa vie. Elle a été agressée par son père jusqu'à l'âge de 12 ans (l'année dernière !). Sa mère la battait. Elle entend tout le temps des voix qui veulent la forcer à être méchante. Tsé, elle racontait tout ça comme si de rien n'était, comme si elle parlait de quelqu'un d'autre. Je suis chanceuse d'avoir eu une vie normale.

Je trouve que Martine tourne un peu trop autour d'Antoine. Elle le touche tout le temps et se force à rire chaque fois qu'il dit quelque chose de plus ou moins drôle. Je suis une Réglisse rouge, je ne dois pas être jalouse !

Il a fallu que je parte (avec ma carotte géante). Ça m'a fait suer de les laisser seuls, ces deux-là. Mais je me dis que Martine n'est pas le genre d'Antoine. Il n'est pas en ligne présentement, je me demande bien ce qu'il fait.

Je me demande aussi d'où vient la jalousie. Peut-être que c'est parce que je manque de confiance en moi. C'est en tout cas ce qu'on dit sur le Net. Eh ben !

Avec tout ça, je n'ai fait aucun devoir. Go, go, go !

Publié le 3 novembre à **22 h 01** par Nam
Humeur : Préoccupée

> **Que font-ils ensemble ?**

Je capote !

C'est terrible, vraiment.

Ce devoir qui devait me prendre genre quinze minutes m'a pris une heure !

Pourquoi ?

Parce que je n'arrête pas de me demander si Antoine est encore avec Martine.

Mais qu'est-ce que c'est que cette maladie ?! Il a le droit de faire ce qu'il veut avec qui il veut. Je n'ai pas arrêté de regarder s'il était en ligne. Genre cinq fois par minute. Finalement, il est arrivé en ligne et je lui ai sauté dessus. Pas trop subtilement, je lui ai demandé s'il était encore avec Martine. Ce n'est pas très Réglisse rouge comme comportement. Je ne me reconnais pas.

Finalement, elle venait tout juste de partir ! À neuf heures et demi du soir ! Il lui a montré comment on jouait aux échecs ! 😮 Nooooooooon !

Je dois me calmer. Ce n'est pas de mes affaires. Mais comme pas du tout. Pourtant, c'est plus fort que moi. Je crois que je suis vraiment une personne jalouse. Est-ce que c'est normal ? J'ai continué à lire des articles sur le Net et paraît que ça arrive à tout le monde. Mais est-ce que je suis la seule qui vit quelque chose d'aussi intense? Ce n'est vraiment pas *cool.*

Pendant que je guettais la venue d'Antoine en ligne, j'ai clavardé avec Mart. Je lui ai parlé de l'autre Martine. Elle m'a dit que Zac lui avait dit que Martine l'avait *cruisé* en ligne. Tout en sachant qu'ils sortaient ensemble! Mart était vraiment fâchée. Elle croyait que c'était son amie, en plus. C'est chien de faire ça.

Mom vient de me dire d'aller me coucher. J'espère que je vais pouvoir m'endormir en moins de 4 heures.

Publié le 4 novembre à 17 h 28 par Nam
Humeur : Déroutée

> Qu'ont-ils vraiment fait ensemble ?

Quand je suis rentrée de l'école, je suis allée directement dans ma chambre et me suis effondrée sur mon lit. J'étais crevée. J'ai cogné des clous toute la journée.

Je crois que la nuit dernière, je me suis endormie genre à 3 heures du matin. Et Mom m'a réveillée à 6 h 30, comme d'hab. Je pensais trop à Antoine. Surtout à Martine, en fait. Je me suis dit que si elle pouvait *cruiser* Zac tout en sachant qu'il sortait avec ma *best,* elle pouvait très bien en faire autant avec Antoine. J'ai donc pris une décision : je vais foncer. Il faut qu'il se passe quelque chose avec Antoine, il faut que ce soit clair. Si ce n'est pas lui qui prend les devants, ce sera moi. Si je trouve le courage, évidemment.

J'en ai assez d'angoisser. Ce qui s'est passé aujourd'hui n'a rien fait pour m'apaiser.

Mart m'a donné un peu plus de détails sur ce que Martine a dit à Zac. Elle l'a complimenté, disant qu'elle le trouvait super beau. Puis ils ont parlé de la bataille entre lui et Sébastien. Elle l'a encore complimenté. Mais Zac a tout arrêté là. Et parce qu'il se sentait coupable, il en a parlé à sa blonde. Ma *best* est vraiment *frue.* Elle est super fâchée contre Martine. Aujourd'hui, quand l'autre lui a adressé la parole, elle n'a pas répondu. Elle a demandé pourquoi et là Mart lui a lancé : « Tu ne sais pas pourquoi? Essaie de deviner. » Martine a fait comme si de rien n'était.

Pendant l'heure du midi, qui était dans le local d'échecs? Martine! 😫 Elle avait déjà commencé une partie avec Antoine. Phoque! Tsé, c'est moi qui est supposée jouer avec lui. Le regard qu'elle m'a jeté! Elle avait l'air tellement fière d'être là, assise à ma place.

J'ai dû paraître fâchée parce qu'Antoine m'a demandé comment j'allais. Je n'ai pas été capable de lui dire la vérité, que ça me faisait suer que Martine joue avec lui à ma place. Je lui ai juste répondu des trucs insignifiants, genre que j'avais eu une mauvaise journée (rapport!?). Il m'a dit qu'il était gentil avec Martine parce qu'elle n'avait pas eu une vie facile. Et alors? C'est une raison pour qu'on lui laisse tout faire?

J'ai croisé plein de gens à l'école qui étaient au party de samedi. Ils m'ont tous saluée, c'était vraiment *cool*. Le capitaine de l'équipe d'impro m'a demandé si j'étais toujours intéressée à jouer. J'étais super impressionnée, il est en secondaire 5 et c'est le gars le plus connu de la polyvalente. On le surnomme Afro parce qu'il a une méchante touffe de cheveux sur la tête. Il conduit une vieille bagnole bruyante, une Coccinelle jaune des années 70, genre. Quand il approche de l'école, on l'entend à des kilomètres à la ronde.

Afro avait vraiment l'air de me vouloir dans l'équipe! Alors j'ai accepté. Évidemment, je ne lui ai pas dit que je n'avais JAMAIS fait d'impro de ma vie. Ça aurait été trop simple. Il était super heureux parce qu'il a beaucoup de difficultés à recruter des gens de secondaire 1. « Enfin une qui ose », il a dit. Oser ? Se mettre les pieds dans les plats, il voulait dire ! Mais dans quoi je me suis embarquée !? Aucune idée. Ma dernière expérience de comédienne, c'était dans une pièce de théâtre en quatrième année du primaire. Je n'avais pas détesté parce que je jouais un arbre. Pop ne m'avait même pas reconnue et je n'avais qu'une seule phrase à prononcer : « C'est l'automne, le vent va me faire perdre mes feuilles ».

J'ai donné mon adresse courriel à Afro, il m'a donné la sienne. Ma première répétition aura lieu demain, pendant l'heure du dîner, à l'auditorium. Super. Quand il est parti, je suis restée sur place un bon dix minutes sans bouger. J'étais sous le choc. Je pense que je vais apporter mon costume de raton laveur pour me donner du courage. Quand j'ai raconté à Mart ce qui venait de se passer, elle n'en croyait pas ses oreilles.

J'ai eu un exam de maths. Super fafa. Une chance parce que j'avais complètement oublié d'étudier. Kelly-Ann, la fille de l'autre classe qui n'arrête pas de se faire écœurer, n'était pas à l'école. Paraît qu'elle veut lâcher. Je la comprends, mais ce serait catastrophique pour elle. Et ça donnerait raison aux connards qui la niaisent. Je suis retournée voir l'assistant-directeur pour savoir s'il avait toujours l'intention d'agir. J'avais vraiment l'impression de me mêler de ce qui ne me regarde pas et j'étais sûre qu'il allait me demander de partir. Mais non, il m'a reçue avec gentillesse. Il m'a dit qu'il avait parlé au prof-conseil de cette classe et qu'il allait les avoir à l'œil.

Il faut plus que ça, je lui ai dit. Il faut qu'ils comprennent que c'est inacceptable, qu'il y a juste les animaux qui ont le droit de faire de l'intimidation. On verra.

C'est l'heure d'aller souper.

> Je fonce !

Je viens de recevoir un courriel d'Antoine. Est-ce que j'ai le goût d'aller chez lui demain, après l'école, pour regarder un film psychotronique ? Si j'ai le goût ? J'ai demandé à Mom parce que je suis, en théorie, encore en punition. Elle a dit oui quand même (bon, je lui ai posé la question quand elle était au téléphone, je ne suis même pas sûre qu'elle ait vraiment compris, c'est pas grave, ça compte quand même). Et j'ai décidé que demain serait le grand jour : je vais demander à Antoine s'il m'aime. Je veux en avoir le cœur net. Je vais le regarder droit dans les yeux et je vais lui poser LA question. Ce sera simple, clair et net.

Et là, il va se passer quelque chose de formidable. Il va dire : « Oui, Namasté, je t'aime » et on va s'embrasser. Le premier baiser de ma vie sera MÉ-MO-RA-BLE. Un orchestre de vingt-quatre musiciens va apparaître et interpréter une hymne à l'amour. Des hirondelles vont nous survoler en faisant des cœurs et il y aura genre deux nains qui vont danser autour de nous avec des rubans (les nains c'est bizarre, j'avoue). Ah oui, il va y avoir une pluie de pétales de rose. Et le contact de mes lèvres sur les siennes, de ma langue sur la sienne, vont provoquer en moi un tremblement d'une amplitude jamais atteinte, genre qu'au dernier instant de mon existence, sur mon lit de mort, c'est cet extrait de ma vie que je vais me repasser pour atténuer l'angoisse de la Mort qui susurrera à mon oreille qu'elle est venue me chercher. (Poésie.)

C'est exactement ce qui va se passer. Je ne m'attends pas à moins.

Et s'il dit qu'il ne m'aime pas, eh bien, l'orchestre de vingt-quatre musiciens va se transformer en groupe démoniaque, genre *Death Metal*, les hirondelles vont me faire caca sur la tête, il y aura une pluie, mais pas de pétales de roses, plutôt d'orties, et les deux nains vont se mettre nus et imiter le cri de la mouette, mais en beaucoup trop aigu, en faisant bouger leurs bras comme des ailes.

J'ai vraiment la chienne. Mart dit qu'elle est sûre qu'il m'aime. Elle pense que je ne risque rien. S'il me dit non, je vais mourir de honte. Et après, notre relation ne sera plus jamais la même. Comment je vais faire pour le regarder dans les yeux après ?

Demain, j'ai finalement une super grosse journée. Midi, impro et après l'école, chez Antoine. Je dois être en forme.

Publié le 5 novembre à 13 h 06 par Nam
Humeur : Survoltée

> ### C'était *cool!*

La journée a vraiment mal commencé. Je me suis réveillée ce matin avec un supra mal de cœur. Pas parce que je me suis tapée cinq réglisses rouges (miam!) avant de me coucher hier soir, mais parce que j'étais *full* nerveuse. J'ai fait un cauchemar terrible! J'avais le costume de la mascotte, j'étais sur la scène d'un stade. Il y avait des milliers de personnes qui me regardaient. Et j'ignore pour quelle raison, mais mon costume a disparu et j'étais en sous-vêtements devant tout le monde. (Et là, y'a Tintin qui est passé avec une de mes vieilles culottes sur la tête, mais ça n'avait pas trop rapport.)

C'est cette nausée que j'ai quand je fais des exposés oraux. Le pire, c'est que j'aime ça. Pas le mal de cœur, c'est sûr. Mais le fait de m'exposer devant les autres. Quand je suis rendue en avant de la classe, je me sens super bien, la nervosité disparaît et je pourrais parler pendant une heure, il me semble. 😎

Pendant le premier cours de la journée, j'étais vraiment anxieuse à l'idée de faire de l'impro.

Pendant le deuxième, je voulais mourir.

Pendant le troisième, je me suis dit que je n'allais pas me présenter. Tant pis pour la promesse faite à Afro. Le fait de céder à ma peur m'a soulagée. Je ne suis qu'une peureuse, dans le fond. Puis la cloche a sonné et j'ai eu une rechute : j'ai eu un regain de courage et j'étais prête à me rendre au local de répétition.

J'ai pris tous les détours inimaginables pour m'y rendre. En entrant dans la pièce, j'ai vu cinq gars (dont Afro) et une fille qui imitaient des chiens. Il y en a même un qui faisait semblant de faire pipi dans un coin. En me voyant, ils se sont rués vers moi et ont commencé à me renifler.

- Euh, salut, j'ai dit à Afro qui tentait de me lécher la main.

- Wouf !

Wouf ? Il me parlait en chien !

- Ouais, eh bien, je suis venue comme tu m'avais demandé.

Ils continuaient à japper. J'étais super gênée. Alors j'ai fait comme eux ! Je me suis mise à quatre pattes et j'ai commencé à faire le chien ! Ça a brisé la glace.

L'équipe est super *cool*. Je ne me rappelle plus des noms, sauf celui d'Afro et de la fille qui s'appelle Sophie. Les deux sont en secondaire 5. Afro m'a dit pourquoi il était si heureux que je sois là : pour participer aux tournois, il faut au moins un représentant de chaque niveau et deux filles dans l'équipe. Il m'a dit que j'étais en quelque sorte leur Sauveur ! Hon, moi qui voulais lui dire que ça ne m'intéressait plus… 😕

On a passé l'heure à faire différents exercices qu'on appelle « personnification ». Genre je devais faire un médecin qui doit annoncer à un patient qu'un deuxième nombril va lui pousser sur une fesse. Tout ça pour dire que mon premier match a lieu… dans trois jours ! 😮 Je capote !

Et dans quelques heures, je vais être chez Antoine. Et je compte lui annoncer que je l'aime. Ça me rend *full* anxieuse.

Je dois y aller, la cloche vient de sonner.

> Je suis nulle

Je n'ai pas pu. Les paroles ne pouvaient pas sortir de ma bouche. C'était bloqué. On regardait un autre film complètement débile. Ça s'appelait quelque chose comme *Les clowns tueurs venus de l'espace*. L'histoire est vraiment dure à résumer : ce sont des clowns de l'espace qui viennent sur Terre pour nous tuer.

Je ne me suis pas vraiment concentrée sur l'histoire. Tout ce que j'avais en tête, c'était Antoine. On était sous un gros doudou. Il faisait chaud. Mon genou touchait à sa cuisse. Je me serrais contre lui quand c'était trop dégueulasse. Le moment était super bien choisi mais… je n'ai pas pu.

Je me trouve ridicule. Tsé, je n'ai pas eu peur de faire le chien devant les élèves les plus *cool* de la poly ou de porter un costume stupide avec une carotte géante à un party rempli d'inconnus, mais dire à un gars que je l'aime, pas capable.

J'avais peur, en plus. Genre qu'il me dise qu'il ne m'aime pas. Ou pire, qu'il me dise qu'il ne m'aime qu'en amie. L'horreur !

Je viens de *tchatter* avec Mart et elle me dit qu'il n'est pas normal, ce gars-là. Elle se demande pourquoi il ne prend pas les devants. Elle pense qu'il est gai. Moi je pense qu'il est peut-être aussi gêné que moi. Peut-être que lui aussi pense à la même chose que moi mais n'ose pas. Pourquoi il voudrait passer du temps avec moi s'il ne m'aime pas? En plus, on a plein de points en commun.

Je n'ai pas pu m'empêcher de lui parler de Martine. Il m'a dit qu'il la trouvait gentille. Pas plus. Je suis obligée de le croire, j'imagine. Mais bon, encore une fois, ce n'est pas de mes affaires.

Je m'en vais souper.

> C'est fini

Shiiiiiit! Zac vient de laisser Mart ! Il lui a dit qu'il était en amour avec une autre fille. J'ai parlé au téléphone avec Mart pendant une demi-heure. Elle n'arrêtait pas de pleurer. Pauvre cocotte !

Elle l'aimait tellement. Elle n'arrêtait pas de dire que c'était le chum parfait.

Zac n'a pas été super fin. Il lui a écrit un courriel. C'est poche de se laisser comme ça. Pourquoi ne pas lui avoir dit en pleine face ? C'est lâche.

Là, Mart est persuadée que Zac est en amour avec Martine et elle veut l'assassiner. Zac lui a dit qu'ils avaient parlé au téléphone pendant une heure cet après-midi. Une heure ! Qu'est-ce qu'ils avaient à se raconter ?

Mart est inconsolable. Je ne sais pas trop quoi faire. Zac est mon ami, en plus. Je ne peux pas commencer à dire des trucs méchants sur lui. C'est un bon gars et il ne m'a rien fait, à part d'être ortho des fois. Je suis comme prise entre les deux. En plus, Zac m'a appelée pendant que Mart se confiait à moi. Il voulait parler. Il se sent mal. J'avais l'intention de lui demander qui il aime, mais j'ai trouvé que ce n'était pas le bon moment. Je vais m'arranger pour le savoir quand même.

Il était triste. Il m'a dit qu'il n'aurait jamais dû dire oui à Mart et qu'il s'en veut de lui avoir fait de la peine.

(…)

Je viens de *tchatter* avec Mart. Martine vient de lui dire qu'elle a su avant elle que Zac allait casser! Et que c'est pour ça qu'il n'est pas allé au party d'Antoine samedi dernier.

Mart dit qu'elle se trouve moche. Elle dit que si elle avait de plus gros seins et que si elle était plus grande, Zac ne l'aurait pas laissée. C'est quoi le rapport??!! Son moral est vraiment à zéro. Tsé, Mart est *full* belle. Je lui ai dit, mais elle n'est pas dans un état pour me croire.

C'est vraiment triste de voir sa meilleure amie comme ça. Je voudrais l'aider, mais qu'est-ce que je peux faire à part l'écouter? En tout cas, cette Martine, elle nous en fait voir de toutes les couleurs. Si elle sort avec Zac, ça va être la fin du monde. Le seul bon côté des choses, c'est que dans ce cas, elle va sûrement lâcher Antoine.

(…)

Je viens de recevoir un courriel d'Afro. Il voulait me dire que les autres m'ont trouvée *cool* et drôle pendant la répétition d'impro. Qu'il avait hâte de jouer avec moi. Et il a même commandé mon chandail! Il faut que je me trouve un surnom, maintenant. Tout le monde m'appelle Nam, mais ce n'est pas très original. Je dois lui donner ma réponse demain. Il veut quelque chose de *punché*.

Ça m'énerve cette histoire de match. J'ai zéro expérience. Je pense que je vais demander à Afro de me garder sur le banc.

Ah oui, Mom est allée porter la mascotte au magasin. Elle n'a pas pu la rendre parce que le magasin est en faillite ! Alors elle est revenue avec le déguisement et la carotte géante. Ils sont dans ma chambre, dans un coin. Je ne sais pas trop ce que je vais faire avec.

Avec tout ça, je n'ai pas encore fait mon devoir d'anglais.

Publié le 6 novembre à 21 h 12 par Nam
Humeur : Exténuée

> ### > Super grosse journée

Ce matin, avant de partir pour l'école, madame Pincourt a appelé pour savoir si je pouvais garder ses fils ce soir. J'ai fait des grands signes à Mom pour lui dire que ça ne m'intéressait pas, mais elle a dit oui quand même. *Shiiiiiit!* Je suis comme trop occupée! J'ai trois examens qui s'en viennent et je n'ai même pas commencé à étudier.

J'ai passé la journée les doigts croisés pour que Maxence et Maximilien ne fassent pas les monstres. Quand je suis arrivée chez eux, leur mère m'a dit qu'elle leur avait loué un film et un jeu vidéo et qu'ils allaient se tenir tranquilles. Me semble! Eh bien, elle a eu presque raison. Pendant l'heure du souper, je n'ai pas reçu une seule pointe de pizza dans le visage, ni de jet de ketchup. Et j'ai eu le temps d'étudier et de commencer mes devoirs. Mais ça s'est gâté, évidemment, quand je leur ai dit que c'était l'heure du bain. Ils jouaient à un jeu vidéo (vraiment violent!) et ne voulaient pas le lâcher. Après avoir répété genre cent mille fois ma demande, j'ai pris la télécommande et j'ai éteint la télé. J'ai eu droit à une mutinerie. Maxence a commencé à crier et Maximilien m'a lancé des coussins dont un m'a revolé dans l'œil. L'un des monstres a réussi à m'arracher la télécommande des mains et a rallumé la télé. Puis ils ont recommencé à jouer comme si de rien n'était ! Je ne me fâche pas souvent, mais là, c'était assez. 😑

J'ai débranché les deux manettes du Nintendo et je suis allée les cacher dans une armoire de la cuisine, la plus haute pour qu'ils ne puissent pas mettre la main dessus. Puis je leur ai ordonné d'aller immédiatement dans la salle de bains, sinon ils allaient se laver à l'eau froide.

Ils ont rechigné, mais ils sont allés quand même. Le téléphone a sonné, c'était madame Pincourt. Pour me prévenir qu'elle allait être en retard (elle devait rentrer à 20 h). En raccrochant, j'ai vu Maximilien, nu, courir dans le corridor. Maxence le pourchassait avec une paire de ciseaux, soi-disant pour lui couper le pénis ! C'était *full* dangereux ! 😳

J'ai réussi à contrôler Maxence et à lui prendre la paire de ciseaux.

Après le bain, il y avait une mare d'eau sur le plancher. Il a fallu que j'utilise genre cinq serviettes pour tout éponger. Je les ai couchés. Je m'attendais à ce qu'ils résistent, mais non.

J'ai fait des devoirs, puis j'ai regardé la télévision, mais il n'y avait que des trucs poches. Je me suis endormie sur le canapé. Je me suis réveillée parce que ça riait autour de moi. Les jumeaux étaient là. Ils venaient de me couper une mèche de cheveux ! 😮

Sauf que les parents Pincourt sont arrivés au même instant. Ça a bardé !

Madame Pincourt s'est excusée au nom de ses fils

et elle m'a remis cinquante dollars. Cinquante dollars?! Youppi! Ça valait bien une mèche de cheveux en moins! À moi le centre commercial!

À l'école, Mart est vraiment fâchée contre Zac. Elle dit que c'est un con et qu'il est super laid. Moi, je préfère me taire parce que je vois bien que Mart est en colère.

Et il y a Martine qui n'arrête pas de se frotter à lui, juste pour faire fâcher Mart, on dirait. C'est vulgaire, je pense même que ça dérange Zac.

Pendant l'heure du dîner, Afro est venu me rejoindre à la table. Tout le monde se demandait ce qu'il faisait avec moi! On a parlé de tout et de rien. C'est vraiment un bon gars. Il m'a demandé comment je me sentais avant mon premier match. Je suis hyper nerveuse, mais évidemment, je lui ai dit que je n'y avais pas vraiment encore pensé. MENTEUSE!

À l'avant-dernière période, j'ai croisé Antoine et il m'a encore invitée à regarder un film psychotronique. *Shiiiiit!* Je ne pouvais pas, ma mère avait accepté que j'aille garder! Une autre chance de manquée. J'en voulais à ma mère.

Je vais aller me coucher, je suis morte.

Le plus poche
surnom de
tous les temps

BARNIQUES

16

Namx♡x

> ### Elle m'énerve de plus en plus

Hier, Antoine m'a demandé si je voulais regarder un film avec lui après l'école. Je ne pouvais pas parce que je gardais les monstres Pincourt. Eh bien, il a demandé à Martine et elle a accepté ! Aujourd'hui, elle n'arrêtait pas de dire qu'elle avait eu du plaisir et qu'Antoine et elle avaient bien ri. Ça me fait suer au max ! 😣 Elle le fait exprès, en plus. Elle voit qu'elle m'énerve. Je suis allée voir Zac et je lui ai demandé si c'était vrai qu'il n'était pas allé au party d'Antoine parce qu'il voulait casser avec Mart, ce que Martine avait colporté. Il m'a dit que ce n'était que des mensonges. Il ne lui a jamais parlé de ça.

Pourquoi elle agit comme ça ? C'est *full* méchant, *full* Réglisse noire. Ce n'est pas comme si on lui avait déjà fait quelque chose. Tsé, si elle se vengeait, ce serait un peu explicable. Mais là… Aujourd'hui, en plus, elle portait un jeans taille basse. Genre quand elle se penchait, on voyait sa craque de fesses. Les gars ont ri et quand elle s'est relevée, elle a pris un air comme si elle était offusquée. Mais dans le fond, ça lui faisait plaisir.

(…)

Je ne peux plus faire de monitorat en maths à cause de l'impro. Ça ne me dérange pas trop parce qu'Antoine aussi a laissé tomber. Il s'entraîne pour un tournoi d'échecs. Ça fait longtemps que je n'ai pas joué avec lui. Pour être très honnête, ce n'est pas un sport (est-ce vraiment un sport?) que j'affectionne. J'ai peur qu'à trop penser mon crâne se fissure. Nan, je niaise. Je dis juste que les échecs, c'est pas pour moi.

L'impro, cependant, c'est *hot!* On s'est beaucoup amusés pendant le dîner. Il fallait imiter des professeurs et des directeurs d'école. Genre un élève entre dans le bureau avec un problème vraiment bizarre et il fallait inventer une réaction. Quand ça a été à mon tour, Afro faisait un élève qui se plaignait que la bouffe à la caf était radioactive. La preuve c'est qu'un troisième testicule lui avait poussé!

On est six dans l'équipe et plus j'apprends à les connaître, plus je les adore.

Afro, le capitaine. Il est en secondaire 5. Il est dans l'équipe depuis qu'il est en secondaire 1. Je ne sais même pas quel est son vrai prénom! Il va s'inscrire en Arts au cégep, il veut créer des sculptures avec les gommes bleues qu'on met derrière les affiches pour les coller.

Sophie, surnom Souris. Secondaire 5 aussi. Elle dit qu'elle est dodue (genre un peu grosse). Elle est dans l'équipe parce qu'elle aimerait se dégêner et arrêter d'avoir honte de son corps. C'est une super belle fille, elle a un sourire hallucinant. Elle veut devenir comédienne. Ah oui, elle est capable de pleurer sur commande. 😲

Il y a Allumette. Il est en secondaire 4. Il est vraiment grand. Genre le plus grand de l'école. Je pense qu'il se nomme Gabriel. C'est un spécialiste de *air guitar* (faire semblant de jouer de la guitare). Ça ne sert à rien, mais c'est super drôle quand il commence à jouer, il fait tourner ses longs cheveux et il bouge comme si il était électrocuté.

Cobra alias Marc-Antoine. Secondaire 3. Il joue toujours des gars super efféminés ou déficients intellectuels. C'est sa tactique pour déstabiliser l'adversaire. Il tripe sur un acteur que personne ne connaît, Tom Selleck (un comédien des années 80 qui avait une super grosse moustache, j'ai cherché sur le Net). Genre il porte toujours sur lui un super gros macaron qui le représente.

Godzilla. Secondaire 2. Ça ne fait que trois semaines qu'il est dans l'équipe. Il est tout petit. Je ne lui ai pas vraiment parlé. Il n'a pas pu s'entraîner parce qu'il avait une extinction de voix. Seule chose que je peux dire de lui : il joue pieds nus.

C'est Fred qui a annoncé à Mom que je faisais partie de l'équipe d'impro. Afro lui a demandé s'il était mon frère. Ils sont dans la même classe de français. Mom était contente de moi, elle tient à assister à mon premier match. Grand-Papi aussi. Je ne veux pas !

Le premier match est dans deux jours. J'ai hâte et je n'ai pas hâte en même temps. Ils sont tellement meilleurs que moi.

Avant de partir, Afro m'a demandé si je m'étais finalement trouvé un surnom. Ça m'était complètement sorti de l'esprit. Je devais lui en donner un sur-le-champ, c'était limite pour commander le chandail. Alors j'ai sorti le surnom le plus poche qui soit : Barniques. J'ai toujours détesté ça et c'est le surnom que je me suis donné. Super ! ☺

Afro a sûrement trouvé ça *full* niaiseux parce qu'il a fallu que je lui répète genre trois fois avant qu'il comprenne.

Pour le numéro, eh bien, j'ai choisi le 16. Tout le temps, quand il y a un tirage dans une de mes classes et qu'il faut choisir un numéro, je prends le 16 parce que je suis née à 16 h 16. Mom m'a même dit qu'il faisait 16 degrés à l'extérieur. Tsé, c'est clair que c'est mon chiffre chanceux ! J'en ai bien besoin, moi qui est née un vendredi 13…

C'est au tour de Fred d'avoir l'ordi.

J'ai un plan

Namx♡x

> Les Réglisses rouges passent à l'attaque

Kelly-Ann, la fille qui se faisait niaiser par les gens de sa classe, n'est pas à l'école depuis le début de la semaine. Mart a appris qu'elle avait reçu des courriels d'insultes avec des photos vraiment débiles. Tout le monde sait que c'est un gars de sa classe qui a fait ça, il s'en vante. Il s'appelle Benoit. Mais le directeur-adjoint ne veut pas agir parce qu'il n'a pas de « preuves concrètes ».

Pendant la pause du midi, j'ai appelé chez Kelly-Ann. Il s'est passé quelque chose d'encore plus grave. Elle ne voulait pas m'en parler, mais je lui ai dit qu'il fallait que je sois au courant si elle voulait que je l'aide. Elle a commencé à pleurer, elle m'a dit qu'elle avait trop honte. Puis elle m'a raconté l'histoire. Pendant genre un mois, elle a échangé des courriels avec un gars avec qui elle a correspondu sur un forum. Ils sont tombés amoureux. Il était super fin avec elle, ils ont échangé des photos. Elle le trouvait vraiment *cute*. Puis la semaine dernière, elle a appris qu'elle s'était fait niaiser. Genre que c'est une fille de sa classe qui était le gars. Elle a fait lire les courriels que Kelly-Ann a envoyés à tout le monde. Les poèmes qu'elle a écrits et les mots d'amour.

La fille s'appelle Julie. Mart m'a dit que ses parents sont *full* riches. Depuis le début de l'année, il n'y a pas une fois où elle a porté les mêmes vêtements.

J'ai expliqué tout ça au directeur-adjoint, mais il m'a dit qu'il ne pouvait rien faire parce que ça s'est passé à l'extérieur de l'école. Je suis découragée. 😞 Il faut faire quelque chose qui va donner des résultats. Si je vais voir la fille en question, elle va juste me trouver conne.

En rentrant de l'école, j'en ai parlé à Grand-Papi. Il m'a dit que ce sont ses parents qui devraient agir. C'est à eux de la protéger, pas à moi. Kelly-Ann vit seule avec sa mère et je n'ai pas de détails, mais je crois qu'elle a une vie difficile.

J'ai parlé des Réglisse rouges avec Grand-Papi. Il m'a dit qu'ensemble, on pouvait faire quelque chose. Il dit que si on agit intelligemment, on peut stopper le harcèlement. Il faut déstabiliser les agresseurs. Pendant qu'on parlait, j'ai eu une idée vraiment hors de l'ordinaire. Je lui ai demandé s'il pouvait m'amener au magasin à 1 dollar. J'ai acheté des masques que j'avais remarqués la dernière fois que j'y suis allée. Vingt, en tout. Grand-Papi en a payé 15 plus les taxes, il a dit que ça allait être sa part.

Les masques représentent un visage qui est triste. Je vais les distribuer aux Réglisses rouges, demain. J'espère qu'elles vont vouloir embarquer dans mon projet !

Ça devrait faire son effet.

Publié le 8 novembre à 20 h 46 par Nam
Humeur : Éreintée

> **La Réglisse rouge doute**

Je dors debout. Je ne sais pas pourquoi, mais je suis super fatiguée. Est-ce que penser fatigue ? Sûrement. Je n'arrête pas de me demander si mon plan pour demain est une bonne idée. Je n'ai pas de doute que je vais « déstabiliser l'adversaire », comme dit Grand-Papi. Mais est-ce que ça va donner des résultats ? Je l'espère, sinon je vais avoir l'air cave.

Il y a eu une dispute entre Mom et Fred tantôt dans la cuisine. J'étais dans la salle de bains. Je ne sais pas trop pourquoi ils criaient, mais Fred n'est même pas venu souper et Mom n'a pas dit un mot de la soirée. Quand Pop a fait une autre de ses mauvaises blagues, elle lui a dit que ce n'était pas le temps.

Ces temps-ci, j'ai l'impression que les seules fois où mon frère et Mom se parlent, c'est quand ils se chicanent. Mon frère est vraiment paresseux. Genre il ne fait jamais le ménage de sa chambre. L'autre jour, Mom a trouvé une boîte avec un morceau de pizza dedans. En fait, personne n'est sûr que c'était de la pizza. C'était gluant et ça bougeait tout seul. Fred porte aussi toujours les mêmes vêtements et ne les lave jamais. Il n'a pas besoin de cintres dans sa garde-robe, ses vêtements sont tellement raides qu'ils tiennent debout. Grand-Papi dit qu'il a une « hygiène déficiente ». Il dit qu'on devrait parfois le désodoriser avec un pouche-pouche pour les meubles qui sentent mauvais. Moi, je ne trouve pas qu'il pue tant que ça. Quand il s'approche de moi, je me mets un pince-nez et les yeux me piquent. Ce n'est pas si pire. Si ça dégénère, je ferai comme si j'étais allergique aux chats, je prendrai des antihistaminiques.

(...)

Je viens de *tchatter* avec Antoine. Il dit qu'il va venir me voir jouer demain ! *Shiiiiit !* Et si je suis mauvaise ? Qu'est-ce qu'il va penser de moi !? Cette histoire d'impro commence à ressembler à un mauvais rêve. Faut que je me réveille avant qu'il ne soit trop tard. Je n'ai jamais fait d'impro de ma vie. Il y a erreur sur la personne ! À l'aide !

J'ai joué aux échecs avec Antoine pendant l'heure du dîner. Sous la table, il lui est arrivé à quelques occasions de toucher mes genoux avec ses doigts. Mart dit que c'est bon signe quand un gars commence à nous toucher. Ça veut dire qu'il désire créer une intimité. Yé ! ☺

Mart est en amour avec Afro depuis qu'elle lui a parlé. Tsé, c'est le gars le plus *cool* de la poly. Elle ne doit pas être la seule ! Elle veut que je m'arrange pour genre l'inviter à un endroit où elle pourra passer quelque temps seule avec lui ou quelque chose comme ça. Facile à dire !

Le soir, avant de m'endormir, je m'imagine que je suis seule avec Antoine, dans son sous-sol. Je pose ma tête sur ses cuisses et il me caresse les cheveux et le visage. Puis, il me dit qu'il m'aime et il pose ses lèvres sur les miennes. Ça ne me prend pas de temps pour m'endormir!

Parlant d'aller dormir, j'y vais. Je dois être en super forme demain.

Quossé ça?

*Nam*x♡x

Publié le 9 novembre à 12 h 17 par Nam
Humeur : Nerveuse

> Une bonne et une moins bonne nouvelle

On commence par la bonne. Ce matin, dans la cour d'école, j'ai distribué à toutes les Réglisses rouges que j'avais dans mon champ de vision les masques que j'avais achetés. Au début, elles me trouvaient vraiment bizarre. Je leur ai expliqué mon plan. Quand il y en a deux ou trois qui ont accepté, les autres ont suivi.

On était seize. On a cherché Julie, la fille qui a niaisé Kelly-Ann. On l'a trouvée facilement, elle fumait avec ses copines dans un coin de la cour. Les masques sur le visage, on l'a entourée. Puis, sans émettre un seul son, on a levé notre bras et on l'a pointée du doigt.

Au début, elle trouvait ça drôle. Puis elle a commencé à dire des « quoi? », « quoi? » de plus en plus agressifs. Moins on parlait et plus elle capotait.

Quand elle s'est en allée pour nous fuir, on l'a suivie. Quand elle est allée porter ses vêtements dans son casier, on était toujours là. On attirait l'attention de tout le monde. Elle faisait comme si on n'était pas là, mais j'ai vu que ça la dérangeait vraiment. Il a fallu que les Réglisses rouges se rendent dans leur classe, alors on l'a laissée tranquille. On va voir ce que ça va donner. Tout le monde m'a dit que j'avais eu une bonne idée.

La mauvaise, maintenant. C'est mon premier match

ce soir. Je suis *full* nerveuse. Genre que ça fait trois fois que je vais aux toilettes depuis le matin et je n'ai pas pu manger mon sandwich pour dîner. J'en ai parlé à notre capitaine, le glorieux Afro, qui m'a donné des conseils. Genre respirer lentement, faire de la visualisation (me voir en train de jouer — ça m'énerve encore plus!!!) et, surtout, avoir du plaisir. Ah oui, faut que je me laisse aller. Faut que j'écoute mon « instinct ». Comment on fait ça? Aucune idée.

Et il y a Mart qui n'arrête pas de me parler d'Afro. Tout d'un coup, Zac est devenu insignifiant et elle se demande comme elle a fait pour l'aimer. En fait, elle dit qu'elle ne l'aimait pas vraiment. Je ne la crois pas. En tout cas, c'est son affaire.

Afro avait une surprise pour moi : mon chandail de l'équipe! Sauf que… Sauf que le nom n'est pas le bon. Le numéro non plus.

Pour le nom, j'avais demandé Barniques. C'est nul, mais au moins, ça me représente. Mais au lieu de Barniques, c'est écrit… Barney! 😮 Barney?! Et le chiffre, ce n'est pas 16 comme demandé, mais… 13! 😮 13?! Qu'est-ce qui se passe? C'est un chiffre *full* malchanceux. Je suis née un vendredi 13. Est-ce qu'il fallait vraiment en rajouter?!

Et Barney… Ça n'a tellement aucun rapport avec moi. J'ai fait une recherche sur Internet. Les deux Barney les plus célèbres sont : un dinosaure mauve qui passe ses journées à jouer avec des enfants impubères dans une émission de télévision et un personnage des Simpsons gros, alcoolique qui rote tout le temps. Suuuuuuuuper !

Afro a bien vu que quelque chose ne tournait pas rond. Quand je lui ai dit qu'il avait fait une erreur, deux erreurs, en fait, il m'a dit que c'est ce qu'il avait entendu. Au lieu de Barniques, Barney et au lieu de 16, 13. Il s'est excusé et m'a dit qu'il allait apporter les modifications. Mais ce sera trop tard pour ce soir. Je dois le porter tel quel.

Ça commence bien. 😕

Je dois retourner aux toilettes.

> C'était trop *bot!*

Ahhhhhhh! Je suis tellement soulagée que ce soit fini. Je n'ai jamais été aussi nerveuse de ma vie.

En plus, il s'est passé quelque chose avant le match, à la dernière période. On m'a appelée à l'intercom. Je devais me présenter *immédiatement* au bureau du directeur. Ce n'est jamais bon signe, ça. Je savais qu'il se passait quelque chose de plus ou moins grave. Je ne sais pas pourquoi, mais je me suis dit que quelqu'un était mort. Genre Grand-Papi.

En entrant dans le bureau, j'ai vu Julie, la fille de riches, assise sur une chaise. Elle serrait un kleenex dans sa main et ses yeux étaient remplis de larmes. Le directeur était vraiment sérieux. Il me regardait comme si je venais de tuer quelqu'un.

- C'est toi les Réglisses rouges ? il m'a demandé.

J'ai avalé la salive que j'avais dans ma bouche.

- Oui, j'ai dit.

OK. Là, il faut savoir que les seules fois où j'ai eu affaire à un directeur d'école, c'est pour recevoir des diplômes. Je ne suis jamais allée au bureau du directeur parce que j'avais fait un mauvais coup. Je suis une gentille petite fille toute douce.

Une fois, en 3ᵉ année, mon prof m'a surprise avec

une gomme dans la bouche. Elle m'a fait des gros yeux, m'a demandé d'aller la jeter et c'est tout. Sauf que j'ai *full* angoissé. Je ne la regardais même pas dans les yeux tellement j'avais peur qu'elle me punisse. Et à la maison, quand le téléphone sonnait, j'avais toujours peur que ce soit ma prof qui veuille parler à mes parents au sujet de cette fameuse gomme. C'est con, je sais, mais ça a duré quand même une semaine. Ça m'empêchait de dormir.

Quand j'ai vu les yeux du directeur, je me suis rendu compte que j'avais des problèmes. J'ai comme paniqué. Je me suis assise à côté de Julie et l'interrogatoire a commencé.

- Les masques, c'est ton idée?

Mon menton tremblait parce que j'avais le goût de pleurer.

- Oui.

Il en a sorti un d'un tiroir de son bureau et l'a posé sur la table.

- C'était quoi le but?

- Je ne sais pas.

Fallait que je me ressaisisse! Julie était allée se plaindre au directeur parce qu'on l'avait ciblée, mais elle avait fait quelque chose pour mériter ça.

- Tes amis et toi l'avez pointée du doigt ce matin pour rien. Comme ça, parce que ça vous tentait?

Julie s'est mouchée pour montrer qu'elle était là et qu'elle avait vraiment de la peine.

- En fait, c'était pour la dénoncer.

Le directeur a retiré ses lunettes et a frotté les ailes de son nez.

- Dénoncer quoi, au juste?

- Il y a une fille dans sa classe qui s'appelle Kelly-Ann qui a reçu des courriels d'un gars qui lui disait qu'elle l'aimait. Finalement, ce n'était pas un gars, c'était elle.

Le directeur s'est tourné vers Julie :

- C'est vrai, mademoiselle?

- Je niaisais, elle a répondu.

Je n'ai pas attendu qu'il me donne la permission pour parler.

- Elle a fait lire à tout le monde ce que Kelly-Ann lui a écrit pour rire d'elle.

- C'était une *joke,* s'est défendue Julie.

- Elle n'est pas drôle, a dit le directeur. Tu trouves ça drôle, toi?

Julie a levé les épaules.

- Ça ressemble à du harcèlement psychologique, ça.

Le directeur s'est levé et a ouvert la porte de son bureau. Et il m'a dit :

- Merci Namasté.

- C'est tout? j'ai demandé.

- Pour l'instant.

Avant de franchir la porte, je l'ai regardé une dernière fois. Il m'a fait un clin d'œil.

Je suis retournée en classe, un peu craintive. Est-ce

qu'il allait y avoir des représailles ? Est-ce que j'avais fait quelque chose de vraiment grave ? Des fois, des idées qui paraissent super bonnes sont, en fait, vraiment nulles. Est-ce que j'étais tombée dans ce piège ?

La cloche de la dernière période a sonné. Avec tout ça, j'avais oublié que j'avais un match d'impro qui commençait très bientôt !

Mais là, Mom me dit que je dois aller me coucher. Alors j'en parlerai demain.

[1 commentaire]

* *

Eh, toi, tu veux des pilules

toutes sortes de pilules ?

Viens sur mon site Internet, j'ai les

meilleurs prix en ville. Ils sont

imbattables. Les prix,

pas les pilules ! Ha ! ha ! ha !

www.toutessortesdepilules.com

* *

> C'était trop *hot!* (la suite)

Wôh! Quand j'ai vu dans ma boîte de réception qu'il y avait un commentaire, je me suis demandé qui ce pouvait bien être! Tsé, c'est un blogue secret protégé avec un mot de passe. Aucune idée comment un vendeur de pilules a pu s'y faufiler. Je l'ai bloqué.

J'ai *full* bien dormi! Quand j'ai arrêté d'écrire hier soir, j'allais me débrancher de Messager quand j'ai vu qu'Antoine était branché. On a commencé à *tchatter* et là, Mom m'a encore dit d'aller me coucher. J'ai éteint le moniteur et je suis allée dans ma chambre. Quinze minutes plus tard, je suis retournée à l'ordi et, le plus discrètement possible, j'ai allumé le moniteur. J'ai discuté avec Antoine jusqu'à une heure du matin! Je suis tellement délinquante!

C'est fou à quel point je l'aime, ce gars-là. Dès que j'ai un moment libre, je pense à lui. Ce matin, j'ai passé une demi-heure dans mon lit à juste penser à lui.

On a parlé de plein de choses, comme le match d'hier soir. Ça se passait à l'auditorium de l'école. Il peut contenir 1000 places. Je me disais que ça allait être rempli genre à moitié. Non! C'était plein! L'autre équipe est arrivée en autobus scolaire avec plein de fans, en plus.

Le match était à 18 h 30, on avait une réunion

d'équipe à 17 h. On a fait des exercices pour « réchauffer notre imagination ». Tout le monde avait l'air super détendu, sauf moi. Afro s'en est aperçu et il est venu me parler. Il m'a rassurée, m'a dit qu'on n'allait pas chez le dentiste. Que c'était amical et que le but ultime de tout ça, c'est de s'amuser. Que je devais me faire confiance. Me laisser aller. Facile à dire !

L'équipe adverse est venue nous voir. Tout le monde était super gentil. Ils m'ont à peu près tous demandé pourquoi je m'appelais Barney. J'ai raconté la méprise et ils ont tous trouvé ça drôle.

À travers les rideaux de la scène, j'ai regardé la salle se remplir. J'ai vu des profs, Mart était là aussi. Et Antoine est arrivé… avec Martine ! 😮 Horreur !

Puis ma mère avec Grand-Papi. Je suis allée la rejoindre et dès que je me suis approchée d'elle, j'ai éclaté en sanglots ! Devant tout le monde ! J'étais morte de peur. On est allées dans les coulisses et ma mère m'a dit que tout allait bien se passer.

Le match a commencé. Et dès que le premier thème a été annoncé, j'ai demandé à Afro d'y aller ! C'est *full* bizarre, non ? Une partie de moi voulait fuir, mais l'autre voulait foncer.

Sur les douze improvisations, j'ai participé à… neuf !

On a gagné 7 à 5. Et… j'ai eu la deuxième étoile du match ! Incroyable !

C'était vraiment toute une expérience. Quand j'étais sur la scène, c'était comme si j'étais dans une autre dimension. J'ai adoré. Mes camarades m'ont tous félicitée et Mom m'a offert un bouquet de fleurs.

J'ai vu Antoine approcher. Il n'était pas avec Martine. Il m'a dit qu'il m'avait adorée et en voulant m'embrasser sur les joues, j'ai tourné la tête et ses lèvres sont atterries… sur les miennes ! J'étais supra gênée !

Après le match, ma *best,* Mom, Grand-Papi et moi sommes allés manger une bouchée au resto. J'étais affamée parce que genre je n'avais rien avalé depuis le matin. À la table voisine, il y avait Afro et des joueurs de l'autre équipe. C'est Mart qui l'a vu, évidemment. Mart m'a presque poussée pour que je les invite à notre table. Les autres partaient, il ne restait plus qu'Afro. Mart a enfin pu passer un moment seule avec lui. Quand il est parti, elle était encore plus amoureuse de lui. Grand-Papi lui a demandé comment elle faisait pour aimer un « pouilleux ».

(…)

Bon j'ai écrit ce billet en deux parties parce que Mom avait besoin de l'ordi. Cet après-midi, je m'en vais chez Antoine ! Il vient de me demander sur Messager si ça me tente d'aller chez lui. Oui, oui, oui ! 😊 Et cet après-midi, c'est décidé, je passe à l'attaque : je lui dis que je l'aime. Je me sens invincible aujourd'hui. Je suis invincible. Hi ! hi ! hi !

Tout va tellement bien. C'est génial.

> Une douche d'eau glacée

J'arrive de chez Antoine. Je ne sais pas trop quoi écrire parce que je ne suis pas sûre de comprendre ce qui s'est passé. Je suis arrivée chez lui à 13 h. On est descendus au sous-sol et on a commencé à regarder un film psychotronique, *Plan 9 From Outer Space*. Paraît que c'est le pire film de tous les temps. Ça tombe bien parce que je viens de vivre le pire après-midi de ma vie. Je suis un personnage de film psychotronique. 😟

À un moment donné, genre vingt minutes après le début du film, je me décide à lui parler. Je suis super nerveuse, mais excitée aussi. Tsé, c'est clair qu'il a des sentiments pour moi. Au début, je me suis dit que c'était impossible, mais il y a des faits qui ne mentent pas. J'en ai parlé avec Mart et on s'est dit qu'il était temps de passer à l'action. Après l'impro et la dénonciation des Réglisses rouges, je me sentais assez courageuse pour faire le premier geste.

Et je l'ai fait, finalement. Je me suis assurée qu'il n'y avait personne et qu'on était seuls. J'ai pris la télécommande du lecteur DVD et j'ai appuyé sur le bouton « Pause ». Je me suis tournée vers lui et je lui ai tout simplement dit :

- Je t'aime.

J'ai senti une vague de chaleur m'envahir du sommet de la tête jusqu'au bout des orteils. J'ai sûrement rougi parce que j'ai senti que mes joues étaient brûlantes comme des soleils.

Antoine a pris quelques instants pour réagir. Puis il est parti à rire et a appuyé sur le bouton « Play » de la télécommande.

- T'es folle, il m'a dit.

Folle?! (¨‿) Un instant. Ce n'est pas comme ça que c'était supposé se passer. Il aurait dû faire une pause, me dire : « Je t'aime aussi », s'approcher de moi et m'embrasser. Mais ça ne s'est PAS DU TOUT passé comme ça.

Il a continué à regarder le film comme si de rien n'était. Youhou! Je viens de te dire que je t'aimais! C'est tout ce que ça te fait?!

J'ai repris la télécommande. Appuyé sur « Pause ».

- Je ne te niaise pas, Antoine. Je t'aime.

Son sourire a disparu.

- Moi aussi je t'aime.

Ouiiiiiii… sauf qu'il a ajouté :

- Comme amie.

Quoi?! Comme amie ? Ça veut dire quoi, « comme amie »? Je devais ajouter quelque chose pour me sauver du naufrage. Alors j'ai dit :

- Moi aussi je t'aime comme ami.

À la télévision, deux extraterrestres aux costumes

super nuls parlent de zombis. Puis Antoine me lance LA phrase qui tue :

- De toute façon, t'es trop jeune pour qu'on sorte ensemble.

Trop jeune ! Je suis trop jeune ! J'ai 13 ans ! Bientôt 14. Trop jeune pour quoi ?

Je suis restée muette. À la fin du film, il m'a demandé si je voulais en regarder un autre. J'ai dit non, que je devais m'en aller. Je n'ai même pas pris la peine d'attacher mon manteau avant de sortir. Il m'a saluée, je pense.

Il pleuvait et il faisait froid. Dans mon lecteur MP3, une vieille chanson triste jouait. Je l'avais entendue au party d'Antoine et je l'avais tout de suite aimée : ça s'appelle *November Rain.* On est au mois de novembre et il pleut. Et c'est triste à mort.

Je suis entrée dans l'abribus. En repensant à ce qui venait de se passer, j'ai commencé à pleurer. J'ai laissé passer deux autobus. J'ai ôté mes lunettes, je me suis essuyé les yeux avec les manches de mon manteau. Je m'étais maquillée un peu pour aller le voir. En me regardant dans la vitre de l'abribus, j'ai vu que mon maquillage avait coulé.

À la maison, j'ai filé dans ma chambre. Une chance que je n'ai rencontré personne. Puis je me suis rendue à l'ordi. Personne n'est en ligne. J'ai besoin de parler. Alors c'est à mon blogue que je me confie.

> ## Qu'est-ce qui vient de se passer ?!

Je n'en reviens juste pas. Il ne m'aime pas ! C'est comme s'il avait planté une fourchette dans mon cœur et qu'il s'était amusé à la faire tourner.

Je capote. Je n'ai pas soupé ce soir. J'ai dit à Mom que j'avais mal au cœur. C'est vrai, en plus.

J'ai *tchatté* avec Mart. Elle n'en revient pas elle non plus. Elle ne comprend pas pourquoi il ne m'aime pas. Tous les indices laissaient croire le contraire. Il me semble !

Antoine a essayé de *tchatter* avec moi. Il m'a demandé si j'allais bien. Tsé, c'est CLAIR que je vais bien. Je suis partie de chez lui en pleurant. Je lui ai dit que ça n'allait pas. Il a changé de sujet. Il m'a parlé du film qu'on avait vu. Je l'ai bloqué.

Y'é con ou quoi ? Comment il se fait qu'il ne se rend pas compte que je pourrais avoir de la peine parce qu'il m'a dit qu'il ne m'aimait pas ?

Mom a vu que je n'allais pas bien. En plus, elle avait fait son spaghetti boulettes à la viande pour souper, mon repas préféré. J'adore ça, habituellement. Là, ça ma levé le cœur. Mom m'a demandé si j'allais bien, j'ai dit oui-oui. Elle a insisté, j'ai pogné les nerfs.

Tout allait bien, il fallait évidemment que quelque chose arrive pour me démoraliser. C'est injuste. J'ai plein de devoirs à faire en plus.

> Pas capable de dormir

Je crois que c'est la première fois de ma vie que je fais de l'insomnie. Vraiment incapable de fermer l'œil. J'essaie de compter les moutons. Malheureusement, ils sont tous *frus* parce qu'ils viennent d'être rasés, et ils refusent de sortir de la bergerie.

J'ai vraiment mal quand je pense à Antoine. Il y a un côté de moi qui dit que ce n'est pas grave, que des gars, il y en a plein, que je ne l'aimais pas tant que ça, finalement. Mais il y a aussi l'autre côté qui pense que c'est la fin du monde, que je n'aimerai plus jamais. Ma taie d'oreiller est imbibée de larmes. Il va falloir que je la fasse tourner dans la sécheuse avant de retourner me coucher. ☹

Il n'y a personne en ligne. Évidemment, tout le monde dort. Je suis la seule qui souffre à cette heure-là. Et je suis en ce moment la seule fille au monde à passer au travers d'un paquet de réglisses rouges.

Tiens, question de me remonter le moral, je viens de trouver un questionnaire qui s'intitule :

Par amour pour lui, serais-tu prête à :

1) Tout quitter et changer de province ou de pays?

Oui, tant qu'il ne faut pas que je déménage en Sibérie!

2) Subir tous les matchs du Canadien pendant la saison régulière même s'ils sont nuls?

Ouch. Est-ce que j'ai le droit de dormir en même temps?

3) Donner un de tes organes?

Ça dépend lequel et ça dépend pour faire quoi avec. Si c'est pour le manger, c'est non, c'est dégueulasse. Je suis contre le cannibalisme.

4) Te faire tatouer son prénom sur une fesse?

Ma cousine Annabelle s'est fait tatouer et elle dit que ça fait supra mal. Un tatouage sur une fesse, d'accord, mais faut qu'il soit temporaire.

5) Mentir à ta famille et à tes amies?

Bof, ça dépend du mensonge. Je ne suis pas prête à leur faire croire n'importe quoi. L'important, quand on ment, c'est de ne pas se faire prendre!

6) Lui promettre de ne jamais plus revoir tes amies?

Pfff... Non.

7) Renoncer à l'un de tes rêves?

Un cauchemar, ça ne pourrait pas faire pareil? J'en ai trop, justement.

8) Subir une chirurgie esthétique pour te faire grossir les seins?

Non! Ils sont petits mais je les aime comme ça. Et puis je n'ai pas fini de grandir. D'accord, j'aimerais qu'ils soient plus gros des fois, mais Mom me dit que c'est mieux d'avoir une petite poitrine, sinon il faut marcher sur les mains pour l'empêcher de tomber.

9) Changer de religion?

Quelle religion? Celle des Réglisses rouges? Jamais!

10) Céder à tous ses caprices?

Ark, non. Pas le goût d'avoir une princesse comme chum!

11) Tuer quelqu'un?

T'es malade??!! J'ai de la peine quand j'écrase un champignon dans Super Mario Bros. Tsé.

Bon. Ça n'a rien changé. Je n'ai toujours pas sommeil et ce qui s'est passé avec Antoine cet après-midi me fait encore suer. Je vais aller faire des roulades dans mon lit.

[1 commentaire]

* *

Salut toi!

Tu veux rencontrer l'homme de ta vie?

Tu en as assez de butiner d'une fleur à l'autre sans jamais être satisfaite?

Inscris-toi maintenant! Il y a plus de 100 000 célibataires qui t'attendent!

www.tuneserasplusseule.com

* *

> ### > Comme si je n'avais pas fermé l'œil

Mon blogue a tellement le sens de l'humour. Il m'envoie une publicité pour les célibataires en quête de l'âme sœur alors que je suis en peine d'amour. C'est vraiment délicat de sa part. 😠

J'ai SUPER bien dormi. Comme un bébé.

Je niaise, évidemment. La dernière fois que j'ai regardé le cadran, il était 5 h du matin. Je viens de me lever. Mom est venue genre dix fois dans ma chambre pour vérifier si je n'étais pas morte. Il me semble que c'est le premier jour de ma vie que je me lève aussi tard. Mais bon, je n'ai pas battu mon frère qui dort *encore*.

Cette nuit, après avoir écrit mon billet sur mon blogue, je suis retournée dans mon lit. Même si j'étais fatiguée, pas capable de m'endormir. Je me suis relevée et j'ai décidé d'écrire un courriel à Antoine. Je pensais avoir une réponse ce matin, mais non. Voici le courriel :

Salut Antoine,

Je sais que j'ai drôlement agi hier et je m'excuse. Quand je t'ai dit que je t'aimais, ce n'est pas juste « comme amie ». Je t'aime vraiment. Quand tu as éclaté de rire, j'ai eu l'impression que tu riais de moi. J'ai trouvé ça poche.

Réécris-moi s.t.p.

Nam

Je viens de me relire et je pense que j'ai fait une gaffe. Est-ce qu'il y a un moyen pour effacer un message qu'on a envoyé ? Genre qu'il s'efface dans sa boîte de réception ? *Shiiiiiit !* Je n'aurais pas dû lui écrire ça. Je vais passer pour une idiote.

Je vois qu'il est en ligne. Ça veut dire qu'il a sûrement lu mon message. Pourquoi il ne me répond pas ? Me semble que c'est une urgence, non ?

Mom a constaté que je n'allais pas bien. Elle me regarde souvent du coin de l'œil. J'haïs ça ! Je ne suis pas une bête dans un zoo !

(…)

Mart vient de me demander si j'allais bien (même si j'étais hors ligne). Elle est super fine, ma *best.* Elle m'a dit qu'elle allait passer l'après-midi avec moi et qu'on allait faire des choses pour se changer les idées. Une chance que je l'ai, je n'en peux plus de pleurer.

Combien de larmes dans les océans?

Nancyx

> **Il est temps d'en revenir**

J'ai passé une journée pas pire avec Mart. On a joué aux « madames », comme on le faisait quand on était petites. On s'est amusées à se maquiller et on s'est mis du vernis sur les ongles des mains et des pieds. On a déconné, genre on a appelé dans une pizzeria et demandé s'il existait une pizza sans fromage. Le chef nous a expliqué que le fromage, c'est comme de la colle. J'ai demandé si son fromage goûtait la colle et j'ai raccroché parce que je riais trop ! Mais il a rappelé et demandé à parler à mes parents. Alors Mart a pris le combiné et elle s'est fait passer pour mon père avec une voix super poche. Pas possible qu'il ait cru que ce soit lui !

Mart aussi est un peu triste. Elle a appris en *tchattant* avec Afro qu'il a une blonde, ce qui n'est pas surprenant. On aurait dû s'en douter.

On a parlé de tout et de rien, comme d'habitude. Ça m'a fait du bien. Mais ça ne m'a pas empêchée de penser à Antoine. Genre chaque cinq minutes j'allais voir s'il ne m'avait pas envoyé un courriel. Au moins, je n'ai pas pleuré de l'après-midi.

Je n'ai presque pas soupé. Après, je suis allée dans ma chambre pour faire mes devoirs et Mom est venue me voir. Elle m'a demandé si j'avais besoin de parler. J'ai dit non. Elle m'a demandé si j'étais sûre et si ça allait aller. J'ai dit oui.

Je me suis regardée dans le miroir avant d'entrer dans la douche. Des fois je me trouve belle, mais des fois je me trouve super moche. Comme maintenant. Peut-être qu'Antoine ne veut pas me dire qu'il ne me trouve pas assez belle pour lui? Il aurait raison, dans le fond. J'ai des sourcils broussailleux. Faudrait que je les épile plus souvent. Sans mes lunettes, je suis aveugle. Mon nez est trop retroussé et il me semble que j'ai une grande bouche. Et j'ai des taches de rousseur. Et j'ai des petits seins et mes bras sont trop longs. Et la peau de mes mains est souvent rugueuse. Et j'ai des énoooooorrrrrrmes fesses. Et des grosses cuisses. Et des pieds de canard. Et mes gros orteils sont super gros. Je suis une extraterrestre. 👽

Quand je suis sortie de la douche, j'ai essuyé le miroir avec une débarbouillette sèche et je me suis regardée pleurer. C'était bizarre. Comme si ce n'était pas moi qui avais de la peine.

Je suis allée voir Grand-Papi. Il m'a donné des réglisses et on a regardé une émission avec des policiers qui cherchent un tueur en série. C'est ce que j'aime avec Grand-Papi, je n'ai pas besoin de parler avec lui. Sa présence me suffit. Avant de me laisser partir, il m'a juste dit :

- Est-ce que tu sais d'où vient l'eau des océans?

J'ai fait non de la tête.

- Ce sont les larmes de toutes les filles qui ont eu des peines d'amour depuis le début des temps.

Antoine n'a toujours pas répondu à mon courriel.

Tout va très bien

NamX♡x

Publié le 12 novembre à 17 h 21 par Nam
Humeur : Déconnectée

> Malgré tout, pas pire journée

Pendant la fin de semaine, je suis allée d'un extrême à l'autre. Comme si d'un seul pas, j'étais passée de l'été à l'hiver.

Quand je suis arrivée à l'école ce matin, j'ai eu l'impression que les gens me regardaient d'une drôle de manière. Je me suis demandé s'il me restait du beurre d'arachide au coin des lèvres ou si mes cheveux étaient si mal brossés que j'allais être la risée de tout le monde.

En fait, ce n'était pas juste une impression : tout le monde me regardait. Mais on ne me pointait pas du doigt, on me souriait. Et puis, à un moment donné, une fille que je ne connaissais pas est venue me voir et m'a demandé si j'étais Barney.

- Qui ? j'ai demandé.

- T'es la fille qui fait de l'impro.

- Ouais.

- Tu m'as bien fait rire.

J'ai eu un flash : c'était la fête vendredi, j'étais la reine du monde !

J'ai passé la journée à sourire et à remercier les gens de leurs commentaires. Il y a même des profs qui m'ont félicitée. J'ai croisé Afro dans le corridor et il m'a demandé si je voulais continuer. Je n'ai pas le temps, c'est trop stressant, mon surnom est genre le plus ridicule des surnoms, je suis *full* déprimée, la fille la plus laide du monde, j'ai donc dit oui, je veux continuer.

J'avais l'air d'une fille comblée. Mais dans le fond, c'était un sourire de douleur que j'avais. Je n'arrêtais pas de penser à Antoine. Chaque fois que je marchais dans un corridor, je me demandais si j'allais le rencontrer. Et si oui, qu'est-ce que j'allais lui dire ? Que j'ai eu un moment de faiblesse, d'oublier le courriel que je lui ai envoyé ? Ou de jouer la carte de l'honnêteté absolue et de m'enfoncer encore plus ?

Pendant l'heure du dîner, je suis passée devant le local d'échecs. Je ne l'ai pas vu, mais j'ai croisé le regard de Martine. Et je me doute bien que c'est avec Antoine qu'elle jouait. ☹

Au début de la première période de l'après-midi, on a appelé mon nom à l'intercom. Direction bureau du directeur. Je me suis dit que ça n'allait qu'ajouter du glaçage sur la fin de semaine de *schnoute* que j'avais eue. J'étais morte de peur quand je suis entrée dans le bureau. Genre que j'étais à un haussement de ton de pleurer. Il m'a demandé si j'avais passé une belle fin de semaine, j'ai fait oui de la tête même si c'était TELLE-MENT non.

- J'ai réfléchi pendant la fin de semaine, il a continué. Même si la méthode que tu as utilisée pour dénoncer cette fille qui faisait du harcèlement est contestable, je crois qu'elle a fonctionné. J'ai l'intention de créer un groupe de discussion sur le harcèlement à l'école. Et j'aimerais que tu en fasses partie.

J'ai continué à l'écouter en attendant de recevoir le pot qui viendrait après les fleurs.

- Après, j'ai l'intention de créer une politique anti-harcèlement que tous les élèves de l'école devront signer.

J'étais toujours muette.

- Ça va ? il m'a demandé.

Et là, parce que je ne pouvais plus me retenir, je suis partie à pleurer. Comme un bébé !

Le directeur s'est approché de moi, il a posé une main sur mon épaule et il m'a demandé de lui dire ce qui n'allait pas. Alors j'ai bêlé :

- Je suis en peine d'ammmmmoooouuuuurrrrrrr !

Je me sentais bête, mais je ne pouvais pas m'arrêter. Je m'étais retenue toute la journée. Comme si mon cœur était un aquarium bien rempli dans lequel on venait de donner un coup de marteau, je me suis vidée.

Le directeur m'a apporté un verre d'eau et des kleenex. Puis il m'a raconté une histoire, son histoire, en fait. Genre que lorsqu'il était à l'école secondaire, il était tombé amoureux d'une fille et bla-bla-bla. C'est là que ça devient vraiment *weird* : en me parlant, il avait les larmes aux yeux et il a étouffé un sanglot. 🙂 Et puis il poussait des bruits aigus et j'étais vraiment gênée pour lui. Ça a eu au moins l'avantage de m'enlever tout goût de pleurer. Je l'ai laissé à sa peine et je suis retournée en classe, en prenant soin de passer par les toilettes et de m'assurer qu'il n'y avait aucune trace de ma peine sur mon visage. Je me suis accroché un sourire et j'ai fait comme si de rien n'était.

Dans l'autobus, Mart m'a demandé comment j'allais. J'ai dit : « je ne sais pas trop, j'ai vu le directeur pleurer ».

Elle ne m'a pas crue, évidemment. Ça ne m'arrive qu'à moi ce genre d'incident.

> ### > Elle sait‼??

Quelqu'un m'a ajoutée sur Messager, tantôt. Je ne savais pas trop qui c'était, j'ai accepté. Cette personne m'a tout de suite parlé.

Copier-coller.

> **{m4r7!n3} : Yo**

> **Nam : Salut. T'es qui ?**

> **{m4r7!n3} : Tu me reconnè pa ? lol**

> **Nam : Si je te pose la question, ça veut dire que non.**

> **{m4r7!n3} : C moi, Martine**

Suuuuuuuuuuuper. Il ne manquait plus qu'elle.

> **Nam : OK.**

> **{m4r7!n3} : lol**

> **Nam : Qu'est-ce qu'il y a de drôle ?**

> **{m4r7!n3} : Rien**

Il y a une pause de deux-trois minutes. Puis elle écrit :

> **{m4r7!n3} : Je savè que tu l'aimè**

Elle écrit tellement mal !

> **Nam : Quoi ? Je ne comprends rien quand tu écris.**

> {m4r7!n3} : JE SAVAIT KE TU L'AIMAIT

Pas besoin de crier, je ne suis pas sourde des yeux !

> Nam : De quoi parles-tu ?

> {m4r7!n3} : JE SAVAIT KE TU AIMAIT ANTOINE CÉTÈ ÉVIDAN

De quoi elle se mêle ?

> Nam : Je n'aime pas Antoine.

> {m4r7!n3} : Arrète il me la dis

> Nam : Dis quoi ?

> {m4r7!n3} : Ke tu lui a dit ke tu lèmè

Quoi !? Antoine lui a dit ?!

> {m4r7!n3} : Il ma fait lirre le email.

Re-quoi ?! Il n'a pas osé ??!!

> Nam : Oui je l'aime. Et ce n'est vraiment pas de tes affaires.

Elle n'a pas répondu. Et genre trente secondes plus tard, je l'ai bloquée.

Je suis supra insultée. 😵 Qu'est-ce qui lui a pris de faire lire ce courriel à Martine ? C'est personnel et confidentiel. S'il y a bien quelqu'un avec qui je ne veux pas partager mes sentiments amoureux, c'est bien elle !

Je me sens *full* humiliée.

(…)

Bon. Je viens d'en parler à Mart et elle a la même opinion que moi. Il faut vraiment que je parle à Antoine, ça ne peut pas durer comme ça. Il faut qu'on mette les choses au clair. Il n'est pas en ligne, je vais appeler chez lui. Je capote.

(...)

Je viens enfin de lui parler. On a parlé pendant une demi-heure. Il dit que ce que Martine a fait, c'est con. Il ne lui a jamais fait lire mon courriel. Elle est allée chez lui cet après-midi et sa boîte de réception était ouverte sur son ordi. C'est sûrement à ce moment-là qu'elle a lu le message.

Il dit qu'il est désolé, qu'il ne sait pas trop comment réagir avec ma « déclaration ». Il m'a répété qu'il m'aimait, mais juste comme amie (arghhhhhhh!). Que je suis super gentille et super belle, mais que je ne suis qu'en secondaire 1. (Re-arghhhhhhh!). Il veut continuer à jouer aux échecs avec moi, il veut qu'on regarde encore des films ensemble. Je lui ai dit que j'allais y penser. Mais je pense que ça va me faire trop mal d'être si proche de lui sans me sentir aimée comme je le voudrais.

J'ai un devoir de maths à terminer et ça ne me tente vraiment pas.

Publié le 13 novembre à 16 h 58 par Nam
Humeur : Irritée

> ### Elle m'énerve !

Martine a raconté à plein de monde que j'aimais Antoine et que je lui avais envoyé un courriel. Je trouve ça vraiment chien. Mart est allée la voir et elle lui a demandé c'était quoi son problème. Martine prétend que ce n'est pas elle qui a parlé de ça. Pourtant il y a comme trois personnes qui m'ont dit qu'elle répandait elle-même la rumeur. Après le troisième cours, je suis allée la voir parce que je n'en pouvais plus de ces drôles de regards. Elle m'a fait un clin d'œil. Quand je me suis présentée devant elle, elle m'a regardée de la tête aux pieds, comme si j'étais un sac à ordures.

Moi : C'est quoi ton problème ? Qu'est-ce que je t'ai fait pour que tu sois aussi baveuse avec moi ?

Martine : Rapport ?

Moi : Je sais que t'es allée raconter à plein de monde que j'étais amoureuse d'Antoine. J'ai des preuves que c'est toi.

Martine : Et puis ? C'est la vérité.

Moi : Ce sont des choses personnelles. C'est entre moi et Antoine. D'ailleurs, il m'a dit que t'avais lu ses courriels sans son consentement.

166

Martine : C'est pas vrai, c'est lui qui me l'a fait lire.

Moi : De toute façon, ce n'est pas de tes affaires. Occupe-toi plutôt des tiennes.

Martine : Pas besoin de capoter.

Elle m'a ignorée le reste de la journée. Je crois qu'elle a compris le message.

Pendant l'heure du dîner, je suis allée faire de l'impro. J'ai été minable. Je n'arrivais pas à me mettre dans la peau de mes personnages. En plus, le directeur de l'école est venu jeter un œil durant la répétition. J'avais peur qu'il se remette à brailler.

Parlant du directeur, Mart ne me croit toujours pas quand je lui dit que je l'ai vu pleurer. Il a fallu que je jure sur la tête de Youki mon petit amour de chien. Et là, elle m'a avoué qu'elle l'avait toujours trouvé bizarre cet homme-là parce qu'au début de l'année, il y a eu une épluchette de blé d'inde et genre elle l'a vu manger son épi AU COMPLET.

Et puis la nuit dernière, même si c'est un peu vague, je sais que j'ai rêvé au directeur. Genre j'étais dans une classe, je faisais un exposé oral et j'ai entendu des pleurs. Je me suis retournée, le directeur était dans le fond de la classe et pleurait sans pouvoir s'arrêter. Ah oui, Tintin était assis à côté de lui, une paire de culottes sur la tête. Un rôle de figurant. S'il voulait passer inaperçu, c'était manqué. Faudrait que je lui parle de ce qui s'est passé, mais je n'ai pas le temps. En fait, je n'ai pas le goût. Et je suis toute mélangée.

J'ai un exam de maths demain, je dois étudier ce soir. Ça me tente tellement.

Publié le 13 novembre à 20 h 26 par Nam
Humeur : Préoccupée

> Rumeurs

Bon, bon, bon. Mart vient de m'apprendre que Martine sort avec Antoine. Anick, une fille de notre classe, les aurait vus s'embrasser. Ça ne peut pas être vrai pour plusieurs raisons :

Raison no. 1 : Martine n'est pas du tout le genre d'Antoine.

Raison no. 2 : Antoine a dit que ce que Martine avait fait était con.

Raison no. 3 : Si Martine sortait avec Antoine, elle ne ferait pas sa jalouse et ne raconterait pas à tout le monde que je l'aime, me semble.

Raison no. 4 : Martine pue (d'ac, elle ne pue pas vraiment, c'est juste méchant ce que je viens d'écrire, tellement anti-Réglisses rouges).

Raison no. 5 : Ni Martine, ni Antoine ne m'ont demandé la permission. 😊

Et, finalement, la plus évidente de toutes :

Raison no. 6 : Martine a 13 ans comme moi, donc elle est encore trop jeune.

Bref : les rumeurs ne sont pas fondées, bon. Et je n'ai toujours pas commencé à étudier parce que je gosse sur n'importe quoi.

Publié le 14 novembre à 16 h 21 par Nam
Humeur : Inquiète

> Besoin de preuves

Quelqu'un a demandé aujourd'hui à Martine si c'était vrai qu'elle sortait avec Antoine. Elle a juste souri. C'est mauvais signe. Pourtant, comme je l'indiquais hier, c'est impossible.

Mart et moi, on est donc passées à l'action. Et le meilleur moyen d'obtenir la vérité dans ces cas-là, c'est l'espionnage. On a fait des James Bond de nous. Moi, c'était Antoine que je devais surveiller. Mart, c'était l'autre, la fille aux 1000 *strings*.

11 h 50 : la cloche sonne, c'est l'heure du dîner. Je cours en direction de la classe d'Antoine qui est située à l'autre bout de la poly. J'ai l'air d'une poule pas de tête, mais bon, ça pourrait passer pour un exercice d'impro si quelqu'un se pose des questions.

11 h 52 : Je suis interceptée par une surveillante qui me dit de ralentir. Je feins une diarrhée de l'enfer.

11 h 53 : J'arrive devant la classe d'Antoine. Je ne le trouve pas ! Peut-être à son casier ?

11 h 55 : OK, j'ai trouvé Antoine. Il est entré aux toilettes. Pour ne pas avoir l'air d'une voyeuse, je lis les phrases de pensée positive dans mon agenda. L'une d'elles me frappe : « Un échec est un succès retourné à l'envers ». Aucune idée de ce que ça signifie, mais ça a l'air profond. Je médite là-dessus.

11 h 58: Antoine n'est toujours pas sorti des toilettes. C'est peut-être lui qui a la diarrhée, finalement. Autre pensée positive incompréhensible : « Sans les rochers, les vagues ne monteraient jamais si haut ».

11 h 58: *Shiiiiiit!*, la surveillante est au bout du corridor. Je ne veux pas qu'elle pense que je me suis échappée dans mon pantalon.

12 h 00: Antoine sort. Je le suis. De cette manière, je n'aurai pas à rencontrer la surveillante.

12 h 03: Il est devant son casier. Il sort des trucs de son sac à dos. C'est pour son dîner. Sandwich jambon-fromage, une boisson gazeuse, un morceau de gâteau dans un plat de plastique et une pomme. Je suis sûre qu'il va se débarrasser de la pomme dès qu'il va en avoir l'occasion.

12 h 03: Je me suis trompée. Il croque dans la pomme. Ce n'est pas considéré comme un dessert ? Ne devrait-il pas manger le sandwich avant ? Autant de questions, si peu de réponses.

12 h 04: *Shiiiiiit!* Il m'a vue !

12 h 05: Il me demande ce que je fais. Je lui dis que je l'espionne et je commence à rire comme une malade. Ça devrait dissiper tous les soupçons.

12 h 12: Après avoir avalé son dîner dans le local réservé aux joueurs d'échecs, il commence une partie avec un autre gars. Première pièce jouée : un cavalier, celui qui est à sa droite.

12 h 13: La surveillante passe. Elle me demande

si je vais mieux. Je dis oui. Elle fronce les sourcils et m'ordonne de circuler parce qu'il est interdit de flâner. Méchante !

12 h 14 : Je m'ennuie, donc je quitte mon poste d'observation. J'ai faim, aussi. Je vais à mon casier et m'empare de mon lunch. Jamais il ne me viendrait à l'idée de manger un fruit avant le repas principal. Dans ce geste d'Antoine se cache sûrement une vérité pas *cool.* Ou pas.

12 h 35 : Après d'intensives recherches, je retrouve Mart. Elle est à la caf. Elle a Martine dans son champ de vision. La fille aux grosses boules parle avec d'autres filles. Rien à signaler, cependant.

13 h 15 : Début des cours. Antoine et Martine ne se sont pas rencontrés. Me semble que s'ils sortaient ensemble, il y aurait eu, au minimum, un bisou, non ? Minimum.

Afro m'a dit que le prochain match d'impro allait avoir lieu samedi, dans une autre école. Paraît que c'est l'équipe championne et qu'ils sont imbattables. Un des joueurs est comédien dans une série pour ados super populaire, tellement populaire que je ne l'ai jamais regardée. Parce que je vais jouer ailleurs qu'à mon école, je suis beaucoup moins nerveuse. Si je me ridiculise (ce qui va fort probablement arriver), je n'aurai pas à vivre avec le regard des autres le lundi matin.

Publié le 14 novembre à 19 h 49 par Nam
Humeur : Curieuse

> Qui est cette personne ?

J'ai oublié de dire que ce matin, quand j'ai ouvert mon casier, un bout de papier est tombé par terre. Je l'ai ramassé. C'était écrit : « Je t'aime ». Pas de signature. Des lettres d'imprimante, en caractère courrier (la plus poche de toutes les polices de caractère). J'ai demandé à Mart si c'était elle, elle a dit non. Je lui ai demandé d'arrêter de niaiser, elle m'a juré que ce n'était pas elle.

Quelqu'un m'aime. Wow ! Ça fait du bien à lire. Mais ce quelqu'un en a tellement honte qu'il ne veut même pas que je sache qui il est. 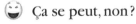 Génial pour me remonter le moral !

Pendant le cours de géo, j'ai regardé autour de moi. C'est sûrement quelqu'un de ma classe. À moins que ce soit quelqu'un qui m'a vu jouer et qui m'a trouvée tellement géniale qu'il est tombé amoureux fou de moi. 😃 Ça se peut, non ?

J'ai laissé mon imagination se dégourdir.

- C'est peut-être Antoine ?! Il est revenu sur sa décision et il me déclare enfin son amour.

- C'est peut-être une erreur. La personne s'est trompée de casier. Ce serait supra poche.

- C'est peut-être le directeur ! Ha ! ha ! Non, pas lui.

- C'est peut-être moi. Genre j'ai été somnambule

et j'ai imprimé ce message, je suis allée à l'école le glisser dans mon casier et suis retournée au lit. Cela expliquerait pourquoi j'avais encore mes chaussures aux pieds quand je me suis réveillée ce matin.

- Peut-être qu'on me niaise, aussi. La Julie, de l'autre classe, aurait de bonnes raisons de vouloir se venger.

Je ne sais pas. Je ne sais plus. Je veux arrêter de penser!

(…)

Je viens de lui parler ! Il m'a ajouté sur Messager. Son nom est « Inconnu ». Il m'a juste souhaité une bonne nuit et m'a dit qu'il m'aimait. Et il s'est débranché. Je n'ai même pas eu le temps de lui parler. Tout cela est bien mystérieux ! 😮

Ce qui est moins mystérieux, par contre, c'est que c'est l'heure d'aller prendre ma douche. Je sens du t'd'sour de bras.

Noooooooooooon !

Namx♡x

Publié le 15 novembre à 10 h 04 par Nam

Humeur : Catastrophée

> *Hein!?*

Martine est vraiment la blonde d'Antoine ! Je les ai vus s'embrasser dans la caf avant le début de la première période. Comment ça se peut ?! J'ai le goût de vomir. 😞

Je me sens *full* rejetée. La raison qu'Antoine m'a donnée pour ne pas sortir avec moi était que je suis TROP JEUNE. Martine est née un mois avant moi, j'ai vérifié !

Je vais être malade. Je m'en retourne à la maison.

Publié le 18 novembre à 8 h 28 par Nam
Humeur : Indolente

> Ça va un peu mieux

Je crois que je viens de vivre les trois jours les plus pénibles de ma vie. Mais ce matin, en me levant, je me suis sentie un peu mieux. J'ai trouvé le courage de me lever, au moins.

Quand j'ai vu Antoine et Martine s'embrasser la semaine dernière, c'était comme si j'avais reçu une balle de revolver en plein cœur. Ça ne m'est jamais arrivé, mais je suis persuadée que c'est la même sensation : *full* douloureuse.

Je n'étais plus capable de penser à rien d'autre qu'à ça. Quand Mart m'a demandé comment je me sentais, j'ai dit que ça allait. Mais dans le fond, j'étais super mal. Comme si je venais de passer sous les roues d'un train.

Quand j'ai vu Martine entrer dans la classe avec son grand sourire, j'ai eu un haut-le-cœur. J'ai dit à mon prof que je devais sortir. Je suais à grosses gouttes et j'étais sûre que j'allais vomir. J'ai passé genre quinze minutes aux toilettes et après, je suis allée à la biblio. J'ai écrit un billet sur mon blogue, puis je me suis dit que je n'allais jamais avoir la force de retourner à mon cours. J'ai pris mon manteau, mis mes bottes et je suis partie. Une fois dehors, j'ai commencé à pleurer.

Antoine m'a menti sur toute la ligne ! Je me sens trahie. Et la Martine qui faisait la fraîche et qui s'est foutu de ma gueule avec le message d'amour que je lui avais envoyé. C'est horrible. Me sentir humiliée en faisant de l'impro devant des centaines d'élèves, pas grave. Mais être humiliée parce qu'on m'a raconté des mensonges et qu'on m'a menée en bateau, je ne supporte pas.

Quand je suis rentrée, Mom passait l'aspi. Je me suis écroulée dans ses bras. C'était trop. Trop d'émotions. Trop de douleur. Trop de trop. 🙁

Je me suis rendu compte que dans le fond, même si Antoine m'avait dit qu'il ne sortirait pas avec moi, je rêvais secrètement qu'il revienne sur sa décision. J'ai même pensé que c'était lui l'auteur de la lettre anonyme.

Pendant deux jours, je n'ai pas touché à l'ordi. Même pas regardé mes messages, même pas allée sur Messager (ce qui est un exploit). J'ai à peine mangé. Je suis restée couchée sur mon lit à fixer le plafond. Il n'était pas question que je retourne à l'école. Dans un moment de folie, j'ai même enfilé le costume de mascotte et je me suis regardée dans le miroir. Heureusement que personne ne m'a vue.

Mom m'a laissée tranquille. Elle m'a apporté de la soupe et des sucreries. Grand-Papi m'a proposé de regarder la télé avec lui, j'ai dit non. Il m'a refilé un sac EN-TIER de réglisses rouges et je n'y ai même pas touché (bon, OK, j'en ai mangé deux ou trois). Y'a même Pop qui est passé me dire qu'il m'aimait. 🙁

Mart m'a appelée, mais Mom lui a dit que j'étais trop

malade pour lui parler. Malade d'amour, oui.

Hier après-midi, Mom a déclaré qu'il était temps que je me reprenne en main. Elle m'a forcée à m'habiller et on est allées magasiner. Rien ne me tentait. Après, on est allées au cinéma voir une comédie vraiment stupide et vulgaire. Ma mère a dit que si elle avait su à quel point c'était « grossier », ce n'est pas ce qu'elle aurait choisi. Moi, j'ai ri un peu.

En revenant, je me suis branchée sur Messager. Quand j'ai vu qu'Antoine était branché, ça m'a fait mal. Je l'ai effacé de ma liste de contacts. J'ai *tchatté* avec Mart. Je lui ai dit que j'avais eu une espèce de virus de la mort. Même si c'est ma *best,* je ne veux pas lui parler de ce que j'ai vécu. Pas maintenant. Un jour, peut-être.

Afro a laissé un message à ma mère, il voulait savoir si j'allais être au match de vendredi. J'ai demandé à Mom de le rappeler et de lui dire que j'abandonnais. Il lui a dit que si je ne me présentais pas, on allait perdre par défaut. Faire de l'impro était vraiment le dernier de mes soucis. Mais bon, Mom est venue me reconduire et j'ai enfilé mon stupide chandail « Barney - 13 ». Je ne sais pas trop ce qui s'est passé, mais j'ai joué. Et j'ai été super bonne. 😮 J'ai même eu la troisième étoile et on a gagné! Pendant tout le temps que j'ai été sur scène, j'étais ailleurs.

C'était l'égalité 4 à 4. Le thème de la dernière impro était « La trahison » et c'était un joueur de chaque côté. L'autre équipe a envoyé la vedette, le gars qui joue à la télé. Afro s'est tourné vers moi et il m'a demandé si j'avais une idée. J'ai dit oui et j'y suis allée. Ça durait quatre minutes.

L'histoire était que le gars m'avait trompée. J'ai pleuré sur scène. Mais en réalité, je pleurais vraiment. C'était une super bonne impro. Les élèves de l'autre école se sont levés pour m'applaudir.

J'ai expliqué à Mom comment je m'étais sentie pendant le match. Elle a dit que l'impro était comme une « thérapie » pour moi.

La nuit dernière, j'ai dormi comme un bébé. Mart va venir faire un tour aujourd'hui. J'ai plein de devoirs à rattraper. Je ne veux juste pas qu'elle me parle de Martine et d'Antoine. Je ne pourrais pas le supporter.

[1 commentaire]

* *

ÉTUDIANT, ÉTUDIANTE! Exaspéré à l'idée de rédiger des travaux stupides que personne ne lira? Accède à notre site Internet et tu pourras consulter notre base de données qui contient plus de 30 000 travaux scolaires. Ton prof n'y verra que du feu et toi, tu auras passé du bon temps à faire la fête!
www.finislestravauxscolaires.com

* *

Publié le 18 novembre à 20 h 48 par Nam

Humeur : Encouragée

> Toujours en vie

J'ai passé la journée avec Mart. Elle vient de partir, son père est venu la chercher. On devait faire nos devoirs, mais finalement, on n'a même pas ouvert nos livres ! Demain, c'est dimanche, je me rattraperai.

Elle avait apporté un film d'amour en DVD. C'était tellement bon qu'on l'a regardé deux fois de suite ! OK, c'était *full* quétaine et vraiment romantique, mais ça faisait du bien de voir une histoire qui finissait bien. Est-ce que ça peut être comme ça dans la vie ? Dans MA vie ? Est-ce que les histoires peuvent bien finir comme dans les films ? Je l'espère !

Après, Mart voulait se couper le toupet parce qu'il lui arrivait dans les yeux. Elle m'a demandé de l'aider. Je n'avais jamais fait ça ! Je pense que la dernière fois que j'ai eu un toupet, c'était en 2ᵉ année. Et ce n'était pas moi qui le coupais. Tout ça pour dire qu'elle a complètement raté son coup. Je l'ai aidée du mieux que j'ai pu, mais ce n'était pas vraiment mieux. On a beaucoup ri. 😵 Il est rendu super court, genre au-dessus de ses sourcils. Elle m'a dit qu'elle allait s'arranger pour que ça ne paraisse pas. Comment ?! Elle va mettre des extensions ? Moi, si ça m'était arrivé, j'aurais capoté.

Je lui ai finalement parlé de ce qui était arrivé, même si j'en ai honte. Honte de ma réaction, surtout. Personne n'est mort! Pourquoi j'ai pété les plombs comme ça?

Mart a été adorable avec moi. Elle m'a écoutée et après, elle m'a prise dans ses bras. Elle m'a dit qu'elle aurait sûrement réagi comme ça si ça lui était arrivé.

Ah oui, j'ai reçu d'autres messages anonymes, Mart les a ramassés dans mon casier. Trois. Ils disaient : « Je t'aime », « J'espère que tu iras mieux très bientôt » et « J'ai hâte de te rencontrer ». Une nouveauté : chacun d'eux était parfumé. Je ne sais pas si c'est le mélange avec le papier ou c'est le parfum lui-même, mais ça pue! Genre ça sent le pouche-pouche de toilette de sous-sol. Mais c'est l'intention qui compte.

Je les ai montrés à Mart parce qu'elle est évidemment très intriguée par ces bouts de papier. Elle est super excitée, pas mal plus que moi. On a commencé à établir une liste de noms. Je lui ai dit ce que je pensais : que c'est quelqu'un qui veut me niaiser. Ma *best* ne croit pas à ça. Elle pense plutôt que c'est un gars qui m'aime vraiment.

Je lui ai aussi dit que j'avais échangé quelques mots avec lui sur Messager. Mais depuis, pas de nouvelles.

Je vais aller lire un peu. Je suis fatiguée.

> Pas hâte

Je retourne à l'école demain. Je n'ai vraiment pas le goût d'y aller. Mais je n'ai pas le choix, je ne peux pas rester à la maison pour toujours.

J'ai passé la journée à faire des devoirs et à recopier les notes de cours de Mart. J'aurais pu aller faire des photocopies, c'est ce que Fred a suggéré en me voyant, mais je préfère les recopier à la main, ça me rentre plus facilement dans le cerveau. J'ai commencé genre à 10 h ce matin et j'ai terminé un peu avant le souper. On dirait que les profs se sont donné le mot pour que j'aie plein de devoirs à faire. Ils se sont probablement dit : « Ouais, Namasté n'est pas à l'école, on va lui faire payer son absence ».

Ah oui, j'ai parlé une heure au téléphone avec Mart. Elle a essayé de se refaire un toupet avec un marqueur noir ! Elle n'a pas voulu m'envoyer de photo, mais paraît que c'était supra horrible.

Après le souper, je suis descendue au sous-sol pour regarder la télé avec Grand-Papi. J'ai trop mangé de réglisses rouges. J'ai eu mal au cœur. Pendant une pause publicitaire, il m'a demandé comment j'allais, je lui ai dit que l'idée de retourner à l'école demain me rendait anxieuse. Il m'a dit :

- Tu dois te tenir debout, ma p'tite fille. Y'a plein d'événements dans la vie qui vont te faire tomber. Tu passes un peu de temps par terre pour laisser passer la douleur, mais tu dois toujours te relever et continuer à marcher. Garde la tête haute parce que c'est facile de tomber, mais ce l'est beaucoup moins de se relever.

(...)

Je viens de répondre au gars qui m'écrit des messages! Il m'a demandé si j'allais être à l'école demain. Quand je lui ai demandé pourquoi il me posait cette question, il m'a dit que c'est parce qu'il avait hâte de me revoir. Il s'ennuie de moi, il paraît! Je lui ai suggéré de me donner un indice sur qui il était, mais il a refusé. Il m'a dit que bientôt, je saurais qui il est. C'est tellement mystérieux, tout ça! Ça me donne une bonne raison de retourner à l'école demain. ☺

Ah oui, j'ai finalement parlé à Tintin au sujet de mon journal intime. Je lui ai expliqué comment je me sentais et il s'est excusé. Je lui ai avoué que je l'imaginais souvent avec une de mes petites culottes sur la tête. Je lui ai demandé si c'était la première fois qu'il faisait ça, il m'a dit non, qu'il l'avait fait super souvent. Il m'a reparlé de cette histoire de réglisses qui étaient censées me parler, je l'ai tout de suite arrêté en lui répétant que j'avais inventé ça pour faire réagir la personne qui lisait mon journal. Il n'a pas eu l'air de me croire. Il a transformé une de ses mains en marionnette et l'a fait parler. La main s'est excusée d'avoir ouvert mon tiroir et feuilleté mon journal.

Je vais aller me préparer pour demain. Je dois faire mon lunch et mon sac d'école.

Je déclare forfait

Nam x♡x

> Je m'en suis tirée

La journée s'est bien passée. Faut dire qu'en ouvrant mon casier, une autre lettre anonyme est atterrie sur le sol. Elle était surprenante : « Je rêve de t'embrasser ». Wow! Ça commence super bien une journée, ça. Elle sentait encore le diable, mais ce n'est pas grave, je me bouche le nez.

J'ai vu Martine et Antoine, main dans la main, avant la première période. Ça a cassé la glace. C'était beaucoup moins pire que je l'avais imaginé. Dans ma tête, dès que j'allais les voir, j'allais me mettre à genoux et commencer à pleurer comme si on me martyrisait puis, complètement épuisée, j'allais tomber sur le sol et je serais prise de tremblements comme pendant une crise d'épilepsie, et une quantité impressionnante de bave allait sortir de ma bouche. Et là, il aurait fallu appeler l'ambulance et je ne n'aurais plus jamais mis les pieds à l'école, ça, c'est sûr.

Au lieu de ça, j'ai pris une profonde inspiration et je leur ai souri. Antoine a regardé par terre tandis que Martine me souriait à pleines dents, tellement fière de son coup.

Il y avait visiblement un super gros malaise.

Pendant la journée, je me suis dit que je devrais

peut-être écrire à Antoine pour lui dire comment je me suis sentie quand j'ai appris qu'il sortait avec Martine. Pour mettre les choses au clair. Je n'ai pas eu à faire ça parce que pendant l'heure du dîner, je l'ai croisé dans un corridor. Il m'a demandé si je voulais jouer aux échecs avec lui.

- Non, je ne jouerai plus aux échecs avec toi, je lui ai dit.

Il a paru vraiment étonné.

- Pourquoi ? Je suis trop bon ?

Même si c'était une blague, je n'ai pas ri.

- Je n'irai plus, non plus, chez toi pour regarder des films.

- Pourquoi ?!

- Tu me niaises ou quoi ?

- Non, non, je ne te niaise pas.

Il n'avait effectivement pas l'air de niaiser. Il a un cœur de pierre ou quoi ? Il a poursuivi :

- C'est à cause de Martine ? T'es fâchée à cause de ça ?

- Je ne suis pas fâchée à cause de Martine. Je suis triste parce que tu m'as caché des choses. Ça s'est fait d'une manière toute croche. Ça m'a blessée.

Je l'ai regardé dans les yeux. Un super long trois secondes s'est écoulé avant qu'il me dise :

- Je m'excuse. Je ne voulais pas te blesser. J'ai été super maladroit.

- Tu m'as dit que tu ne voulais pas sortir avec moi parce que j'étais trop jeune. Tsé, Martine a le même âge que moi !

- Je m'excuse, il a répété.

Je ne savais pas trop quoi répondre, alors je suis partie. D'accord, j'aurais pu lui répondre quelque chose comme « je te pardonne » ou « ce n'est pas grave », mais je voulais qu'il se sente mal. C'est cruel et anti-Réglisse rouge, mais je m'assume ! :)

J'ai autre chose à écrire, mais ça a l'air que Fred a ABSOLUMENT besoin de l'ordi. Une chance que je suis la plus gentille petite sœur du monde.

Salut Nam,
c'est moi ton
amoureux secret

Namx♡x

Publié le 20 novembre à 19 h 51 par Nam

Humeur : Embrouillée

> J'ai peur

Mon ortho de frère voulait avoir l'ordi pour quoi, tantôt ? Pour aller lire ses courriels. Je crois qu'il correspond avec une fille ! Me semble que c'est ce que j'ai entr'aperçu sur le moniteur. Moi qui pensais qu'il n'avait qu'une sexualité avec l'ordi. Est-ce que ça veut dire que je vais bientôt avoir une belle-sœur ? Oui ! On va faire plein de trucs ensemble, ça va être *cool*.

Je pense que je deviens parano. Avec les messages que je reçois, je veux dire. Mart et moi, on a dressé une liste des gars qui pourraient en être l'auteur. (Ça pourrait aussi être une fille, mais on a laissé tomber cette option parce qu'une fille n'aurait jamais aspergé les messages d'un parfum aussi dégueu ; tsé, on a du goût, nous !)

Ma *best* et moi, on a supra déliré. Ce peut être un gars de ma classe, un gars de mon niveau, mais ce peut être aussi n'importe quel gars de n'importe quelle classe. Et ça, ça fait peur. Dans un monde idéal, ce serait un super beau gars qui est propre et drôle. Mais dans mon monde, celui de la malchance et de l'humour noir, je vais sûrement tomber sur un gars vraiment laid surnommé « moufette ». Je ne veux pas être méchante, je suis prête à aider toute personne qui a besoin d'aide, belle ou laide. Mais sortir avec un gars qui ne m'attire pas physiquement, je ne pourrais juste pas. Dans le fond, ce n'est pas vraiment une question de beauté. Il y a des gars qui sont beaux et qui ne m'attirent *full* pas. Comme des acteurs. Tout le monde s'entend pour dire que Brad Pitt est super beau, mais je ne sortirais pas avec lui. Même si on me tordait un bras. Johnny Depp, par contre, je ne dirais pas non. C'est une question de goût.

Dans ma poly, y'a des gars qui m'attirent, mais il y en aussi beaucoup plus qui me laissent indifférente. Et si c'est un de ces gars-là qui m'écrit ? Je fais quoi ?

(…)

Justement, parlant du loup. Il vient de se brancher et on a *tchatté* un peu. Il dit qu'il va bientôt m'annoncer qui il est. Il a un cadeau pour moi. Derrière la poly, il y a les poubelles (tellement romantique !). Sous celle qui est réservée au recyclage du papier, il y aura quelque chose pour moi. Si je pouvais, j'irais voir tout de suite ! Mais il est trop tard. En plus, il pleut et il fait supra froid dehors. J'ai même vu quelques flocons de neige tantôt. Ark !

Pour finir ce que j'avais à dire, supposons que le gars est vraiment laid. Comment je dois réagir ? Je pense que la meilleure des solutions serait d'être honnête, mais pas trop. Genre lui dire que c'est un gars charmant, mais que je ne suis pas prête à avoir un chum (MENTEUSE !).

Chanceuse comme je suis, c'est ce qui va m'arriver, j'en suis sûre.

> Au feu!

Je suis allée garder les deux monstres après l'école. Je me demandais bien le sort qu'ils allaient me réserver. Eh bien Maxence et Maximilien ont été des anges! Et je n'ai même pas pu en profiter parce que j'avais peur qu'ils fassent un mauvais coup. Il n'y a pas eu la moindre petite chicane et ils m'appelaient même « madame »! Faut dire qu'ils n'ont plus le droit de jouer à des jeux vidéo depuis la dernière fois qu'ils m'ont coupé les cheveux.

Il s'est passé plein de choses dans la journée. Je me suis réveillée super tôt, genre à 5 heures, une heure et demi avant le cadran. J'étais trop excitée, j'avais hâte de savoir ce que serait le cadeau de l'inconnu. J'ai niaisé dans mon lit. J'ai pensé à plein de choses. J'espérais que le cadeau ne soit pas une mauvaise surprise. Genre du caca de chien. Ou de l'anthrax, la poudre blanche que les terroristes envoient dans des enveloppes et qui donne le cancer.

Une fois à l'école, je suis allée directement dans la cour arrière avec Mart. Mais là où il y a les poubelles, y'avait des élèves qui fumaient. Il y en avait genre dix! Je ne me sentais pas dans mon élément, mettons. J'étais *full* gênée. Je me suis penchée (tellement!) subtilement et j'ai vu une boîte rectangulaire sous la grosse benne qui sert au recyclage du carton. Je voulais être la plus discrète possible, alors j'ai attendu que la cloche sonne. Je commençais en éducation physique, ce ne serait pas grave si j'arrivais en retard. De toute façon, le prof prend les présences à la fin du cours.

Les élèves qui fumaient ont écrasé leur cigarette ou les ont lancées plus loin. Dès qu'ils sont partis, j'ai foncé vers la benne. C'était plein de mégots sur le sol. Dégueulasse ! 😖 Je me suis penchée et j'ai essayé d'attraper la boîte.

- Y'a de la fumée qui sort de la poubelle, m'a dit Mart.

- Quoi ?!

J'ai finalement attrapé un coin de la boîte et j'ai tiré dessus.

- Y'a des flammes !

J'ai lâché la boîte et je suis allée voir. Y'avait vraiment le feu dans la benne à recyclage ! Pas juste de la fumée ou des étincelles, mais des super grosses flammes ! 😲 Comme un feu de la Saint-Jean en plein mois de novembre !

En criant comme une folle, je me suis mise à genoux et j'ai tiré sur la boîte. Puis on est parties en courant, Mart derrière moi. Elle a crié. Je me suis arrêtée et j'ai vu qu'il y avait de la fumée qui s'échappait de mon sac !

Y'a un tison qui s'est retrouvé sur mon sac ! Je l'ai retiré de mes épaules et avec mes pieds, je lui ai donné *full* coups. Finalement, y'a un trou aux bords noirs gros comme un 25 sous.

Quand on est entrées dans l'école, on a croisé le directeur et on lui a dit que la poubelle de papier était en feu.

Les pompiers sont arrivés et l'école a été évacuée !!! Tous les élèves sont allés dans le sous-sol de l'église la plus proche.

On est restés avec le directeur et il nous a posé plein de questions. Il pensait que c'était nous ! Tsé, on ne fume pas et c'est la première fois de ma vie que je me retrouvais là !

Il y a des caméras de surveillance à l'arrière, le directeur est allé voir ce qui s'était passé. C'est un des gars qui fumait qui a envoyé son mégot dans la benne sans le faire exprès. Il n'a même pas eu l'air de s'en être rendu compte. C'est plein de papier déchiqueté, alors c'est sûr que ça pouvait vite s'enflammer. En tout cas, je voulais faire subtil et je n'ai pas manqué mon coup !

Mom dit que je dois aller me coucher, alors je raconte la suite demain. Et ce qu'il y avait dans la boîte ! Et le reste de ma journée, qui a été merdique.

> Elle continue

Y'avait une répétition d'impro, mais elle a été annulée. Et je ne trouve pas Mart. Alors j'ai décidé de venir à la biblio et d'écrire sur mon blogue.

Même si Martine sort avec Antoine, elle continue à m'écœurer. Genre elle raconte à tout le monde que c'est moi qui ai mis le feu aux poubelles hier parce que j'ai « besoin d'attention »! 😣 C'est tellement con!

En plus, hier, elle m'a fait passer un papier dans la classe sur lequel c'était écrit « échec et mat ». Je n'ai pas trop compris au début. Je me suis retournée vers elle et elle m'a fait un clin d'œil. Là, j'ai compris. Elle m'a mise échec et mat. OK, c'est elle qui sort avec Antoine. Il faut en revenir, non?

Je vais terminer mon histoire d'hier. Finalement, on a manqué les deux premières périodes à cause du feu. Pendant tout ce temps, je tenais la boîte dans mes mains sans oser l'ouvrir. Mart, elle, voulait vraiment savoir ce qu'il y avait dedans. J'avais peur que ce soit une mauvaise surprise et que je sois une autre fois humiliée. Je me suis dit que c'était peut-être Martine qui voulait m'insulter encore plus. Je fais comme si ça ne me dérangeait pas, mais dans le fond, ça me blesse. Je me rends compte que je suis encore fragile.

Finalement, je l'ai ouverte. C'était... une rose en plastique ! Et il y avait un message sur une feuille lignée pliée en trois : « Tout comme cette rose, mon amour pour toi ne fanera jamais. » Ahhhhhhhhhhhhh ! Trop *cute* ! Reste maintenant à savoir qui c'est.

Je viens de voir Mart entrer dans la bibli.

[1 commentaire]

* *

12 ROSES À PARTIR DE 9,99 $?

EST-CE POSSIBLE ? OUI !

Faites plaisir à un proche, à votre mère ou même à vous. Faites-vous livrer les plus belles fleurs du monde cueillies avec soin par des employés sous-payés.

www.plusbellesfleursdumonde.com

* *

Publié le 22 novembre à 17 h 33 par Nam
Humeur : Soulagée

> Les Réglisses rouges surgissent

La fin de journée a été assez mouvementée. Juste avant la cloche de la première période de l'après-midi, j'ai vu Antoine et Martine qui se dirigeaient vers notre classe. Dès qu'elle m'a vue, Martine s'est tournée vers Antoine et l'a embrassé. C'était vraiment un geste prémédité pour me blesser. Même Mart l'a remarqué. Je n'ai comme pas pu m'empêcher de pleurer. Je suis allée me cacher dans les toilettes. Je n'en pouvais plus. Mart est venue me consoler. Elle m'a dit qu'elle allait faire « quelque chose », mais je ne croyais pas qu'elle y pensait vraiment. Des fois on dit ça juste pour soulager quelqu'un.

Je suis restée dans les toilettes pendant toute la durée du cours. Puis Mart est venue me voir à la pause et elle m'a dit que je devais retourner en classe, juste pour prouver à Martine qu'elle n'avait pas gagné. Moi, je voulais m'en aller. Mais avec l'aide de Mart, j'ai réussi. Et je n'ai pas regardé Martine du cours.

À la fin des classes, on est sorties Mart et moi pour aller prendre l'autobus. C'est à ce moment que j'ai remarqué que plusieurs élèves portaient les masques aux visages tristes que j'ai achetés au magasin à un dollar. Ils marchaient tous dans la même direction. En m'approchant, j'ai vu qu'ils entouraient et pointaient du doigt quelqu'un que je connais bien : Martine.

Elle ne savait pas trop comment réagir et demandait ce qui se passait et pourquoi on la pointait du doigt. Ma *best* s'est approchée d'elle et lui a chuchoté quelque chose dans l'oreille. Elle a refusé de me dire ce que c'était, mais elle est sûre que la fille ne va plus jamais m'écœurer.

J'adore ma *best!* 😌

Publié le **22** novembre à **20** h **27** par Nam
Humeur : Estomaquée

> Je sais qui c'est!!!

Je viens d'avoir une conversation avec la personne qui m'envoie des messages anonymes. Je lui ai dit que c'était très gentil, mais que j'avais peur de ne pas l'aimer (je n'ai pas dit que je craignais de ne pas le trouver beau pour ne pas l'insulter). Il m'a assuré que j'allais l'aimer ! Il m'a donné quelques indices plutôt vagues (on s'est déjà parlé, je connais son nom de famille, on a des amies en commun, etc.). Je lui ai demandé de m'envoyer une photo de lui et il a accepté ! Il est en train d'en chercher une où il est « beau ». Il me l'envoie par Messager !

(…)

OMG ! Je n'arrive pas à croire ce que je vois. Ce ne peut pas être lui !!??

(…)

Je viens de lui dire que je ne le crois pas. Il m'a répondu qu'il allait m'appeler quand sa mère allait lâcher le téléphone. Pour être sûre que c'est bel et bien lui, je lui ai posé des questions dont il est seul à connaître les réponses. Ouf, il a répondu correctement… Mais ça ne veut rien dire. Quand je vais entendre sa voix au téléphone, je vais avoir la preuve que c'est vraiment lui. Le téléphone sonne !

(…)

Mon cœur va s'arrêter. C'EST VRAIMENT LUI !!!!

À suivre dans le tome 2 :

Le blogue de Namasté
Comme deux poissons dans l'eau...

Phobies-Zéro Jeunesse

Maxime Roussy est porte-parole de **PHOBIES-ZÉRO volet jeunesse**. Il s'est donné comme mission, entre autres, de démystifier les troubles d'anxiété chez les jeunes en leur racontant avec humour ses expériences liées à son trouble panique avec agoraphobie.

Tu n'es pas seul. Plusieurs personnes se sentent comme toi. La bonne nouvelle c'est que nous pouvons t'aider!

Pour savoir par où commencer, visite le

www.phobies-zero.qc.ca/voletjeunesse

ou communique avec nous au :

(514) 276-3105 / 1 866 922-0002

Du même auteur

Le blogue de Namasté - tome 5
La décision
Éditions La Semaine, 2010

Le blogue de Namasté - tome 4
Le secret de Kim
Éditions La Semaine, 2009

Le blogue de Namasté - tome 3
Le mystère du t-shirt
Réédition La Semaine, 2010

Le blogue de Namasté - tome 2
Comme deux poissons dans l'eau
Éditions Marée Haute, 2008

Le blogue de Namasté - tome 1
La naissance de la Réglisse rouge
Réédition La Semaine, 2010

Pakkal XI
La colère de Boox
Éditions La Semaine, 2009

Pakkal X
Le mariage de la princesse Laya
Éditions Marée Haute, 2008

Pakkal IX
Il faut sauver L'Arbre cosmique
Éditions Marée Haute, 2008

Pakkal
Le deuxième codex de Pakkal
Éditions Marée Haute, 2008

Pakkal VIII
Le soleil bleu
Les Éditions des Intouchables,
2007

Circus Galacticus
Al3xi4 et la planète de cuivre
Éditions Marée Haute, 2007

Pakkal VII
Le secret de Tuzumab
Les Éditions des Intouchables,
2007

Pakkal VI
Les guerriers célestes
Les Éditions des Intouchables,
2006

Pakkal V
La revanche de Xibalbà
Les Éditions des Intouchables,
2006

Pakkal IV
Le village des ombres
Les Éditions des Intouchables,
2006

Pakkal
Le codex de Pakkal, hors série
Les Éditions des Intouchables,
2006

Pakkal III
La cité assiégée
Les Éditions des Intouchables,
2005

Pakkal II
À la recherche de l'Arbre
cosmique
Les Éditions des Intouchables,
2005

Pakkal I
Les larmes de Zipacnà
Les Éditions des Intouchables,
2005

Notre distributeur :

Messagerie de presse Benjamin
101, rue Henri-Bessemer, Bois-des-Filion (Québec) J6Z 4S9
Tél. : 450 621-8167

ACHEVÉ D'IMPRIMER AU CANADA